ΦΡΟΣΩ ΑΡΒΑΝΙΤΑΚΗ

ΓΙΑΝΝΗΣ ΚΑΡΑΔΗΜΟΣ

ΓΙΑΝΝΑ ΝΕΛΛΑ

άκου να δεις

ακουστική κατανόηση

2

+ CD

εκδόσεις δέλτος

The Greek Experience
Books, Music, Video, Art
www.GreeceInPrint.com
262 Rivervale Rd, River Vale, N.J. 07675
Tel 201-664-3494 Email info@GreeceInPrint.com

Τίτλος: Άκου να δεις 2
Συγγραφείς: Φρόσω Αρβανιτάκη, Γιάννης Καραδήμος, Γιάννα Νέλλα
© Copyright E. Αρβανιτάκη & Σία Ο.Ε.
ISBN 978-960-7914-27-9

Πρώτη έκδοση: Ιούνιος 1998
Νέα Έκδοση: Σεπτέμβριος 2006
2η Ανατύπωση: Απρίλιος 2016

Επιμέλεια Έκδοσης: Φρόσω Αρβανιτάκη
Σελιδοποίηση: Κλεάνθης Αρβανιτάκης
Εξώφυλλο: Κλεάνθης Αρβανιτάκης, Άννα Νότη
Διορθώσεις, παρατηρήσεις για τη νέα έκδοση: Λέλια Παντελόγλου
Σκίτσα: Μαρία Θειοπούλου
Εκτύπωση: Φωτόλιο & Typicon A.E.
Βιβλιοδεσία: Ηλιόπουλος Θ. - Ροδόπουλος Π. Ο.Ε.
Παραγωγή CD: Μάρκος Πετράκης ΑΒΕΕ

Εκδόσεις ΔΕΛΤΟΣ, Πλαστήρα 69, 17121 Νέα Σμύρνη, Ελλάς
www.deltos.gr e-mail: info@deltos.gr tel: +30210 9322393
DELTOS Publishing, 69 Plastira St., 17121 Nea Smyrni, Athens, Greece

Περιεχόμενα

Τη σειρά *Άκου να δεις* γράψαμε με σκοπό να ενισχύσουμε τη δεξιότητα της ακουστικής κατανόησης του ξενόγλωσσου σπουδαστή που μαθαίνει ελληνικά, ιδιαίτερα εκείνου που δεν μένει στην Ελλάδα και επομένως έχει ελάχιστα ακούσματα έξω από την τάξη.

Η σειρά είναι διαβαθμισμένη σε τρία επίπεδα, και αποτελείται από τρία βιβλία και τρία CD. Η εξάσκηση στην ακουστική κατανόηση γίνεται μέσα από καθημερινές επικοινωνιακές καταστάσεις που είναι δυνατόν να αντι-μετωπίσει ο σπουδαστής, όταν βρεθεί στην Ελλάδα.

Καθένα από τα βιβλία, μαζί με το CD που το συνοδεύει, μπορεί να χρησι-μοποιηθεί ως συμπληρωματικό υλικό για οποιοδήποτε εγχειρίδιο διδα-σκαλίας της Ελληνικής ως ξένης γλώσσας, ανάλογα με το επίπεδο του σπουδαστή, ή ως βοήθημα για τον σπουδαστή που μαθαίνει μόνος του και θέλει να ενισχύσει τη συγκεκριμένη δεξιότητα.

Οι συγγραφείς

Δυο λόγια για τον καθηγητή

Κύριος στόχος της σειράς *Άκου να δεις* είναι να δοθεί στον σπουδαστή η ευκαιρία να εξασκηθεί περισσότερο στη δεξιότητα της ακουστικής κατανόησης.

Το CD περιέχει το υλικό που πρόκειται να ακούσει ο σπουδαστής και συνοδεύεται από το βιβλίο των ασκήσεων οι οποίες σχετίζονται, άμεσα ή έμμεσα, με το ακουστικό υλικό. Ο σπουδαστής μπορεί να βρει τα κείμενα που ακούει, όπως επίσης και τις λύσεις των ασκήσεων, στις τελευταίες σελίδες του βιβλίου.

Οι ασκήσεις —που ποικίλλουν σε μορφή— είτε ελέγχουν άμεσα την ακουστική κατανόηση είτε δίνουν στον σπουδαστή τη δυνατότητα, βασιζόμενος σε αυτά που ακούει, να εξασκηθεί και στις επικοινωνιακές δεξιότητες της παραγωγής προφορικού και γραπτού λόγου.

Η ύλη που περιέχεται στα 12 Μαθήματα του *Άκου να δεις 2* καλύπτει (α) κάποιες λειτουργίες της γλώσσας μέσα σε καθημερινές καταστάσεις, (β) γραμματικά και συντακτικά φαινόμενα και (γ) λεξιλόγιο σε επίπεδο μέσων.

Διδακτικές οδηγίες για την καλύτερη αξιοποίηση της ύλης

1. Στην αρχή του κάθε μαθήματος υπάρχει μια φωτογραφία, η οποία έχει σχέση με το κεντρικό του θέμα και η οποία εξυπηρετεί και λειτουργικά το μάθημα, δίνοντας τη δυνατότητα στον καθηγητή να την αξιοποιήσει στο στάδιο της προετοιμασίας των μαθητών του πριν ακούσουν το CD.

2. Πριν προχωρήσει στη διδασκαλία του κάθε μαθήματος, ο καθηγητής θα πρέπει:

— να απομονώσει το λεξιλόγιο που κατά την κρίση του δεν γνωρίζει η συγκεκριμένη ομάδα ή ο συγκεκριμένος σπουδαστής

— να το προδιδάξει με έναν ή περισσότερους τρόπους: με ερωτήσεις μέσα από τις οποίες θα προκύψει το λεξιλόγιο, με φωτογραφίες, με σκιτσάκια στον πίνακα, με πραγματικά αντικείμενα που θα έχει φέρει μαζί του ή που υπάρχουν στον χώρο του μαθήματος, με μιμική, με ασκήσεις ειδικά ετοιμασμένες για τη διδασκαλία λεξιλογίου ή και με μετάφραση σε μια γλώσσα κατανοητή από όλους

— να προετοιμάσει τους σπουδαστές κάνοντας ερωτήσεις σχετικές με το θέμα του μαθήματος, αξιοποιώντας αν θέλει και τη φωτογραφία, ώστε να τους ενεργοποιήσει και να τους εισαγάγει στο κλίμα του μαθήματος.

Προτεινόμενη διδασκαλία μαθήματος

Μάθημα 11: "Αγαπάω πολύ τη δουλειά μου"

1. Στην αρχή του μαθήματος ζητάμε από τους μαθητές να κοιτάξουν για λίγο τη φωτογραφία και μετά τους κάνουμε ερωτήσεις. (π.χ. *Τι δείχνει η φωτογραφία; Ποιος είναι αυτός; Τι κάνει; Πού βρίσκεται;* κ.ά.) Συνεχίζουμε με πιο προσωπικές ερωτήσεις, όπως: *Σας αρέσει το θέατρο; Κάθε πότε πηγαίνετε; Τι έργα σάς αρέσουν; Ποιοι είναι οι αγαπημένοι σας ηθοποιοί; Προτιμάτε το θέατρο ή τον κινηματογράφο; Μετά την παράσταση πού πηγαίνετε για φαγητό;*

2. Κατά την κρίση μας, επιλέγουμε το λεξιλόγιο που θεωρούμε ότι είναι άγνωστο στους μαθητές μας μέσα στο συγκεκριμένο μάθημα. Για παράδειγμα, επιλέγουμε λέξεις όπως *σκηνοθέτης, εκπομπή, υπόθεση* κτλ. και τις διδάσκουμε είτε με φωτογραφίες είτε μέσα σε προτάσεις, με τις οποίες ο μαθητής μπορεί να καταλάβει τη σημασία των λέξεων, είτε με ειδικές γραπτές ασκήσεις λεξιλογίου.

3. Πριν οι μαθητές ακούσουν τον διάλογο στο CD, τους δίνουμε δύο λεπτά να κοιτάξουν την παράγραφο της Άσκησης 1. Όταν είναι έτοιμοι, παίζουμε το CD μία ή δύο φορές, ανάλογα με το επίπεδο της τάξης, και μετά οι μαθητές κάνουν την άσκηση.

4. Ακούνε το CD ξανά, και κάνουν τις Ασκήσεις 2, 3 και 4. Παράλληλα, εμείς ελέγχουμε αν οι απαντήσεις που δίνουν είναι οι σωστές. Περνάμε διακριτικά από δίπλα τους ή ζητάμε από τον καθένα να μας δώσει τη σωστή απάντηση.

5. Στην Άσκηση 5 οι μαθητές συμπληρώνουν, σύμφωνα με τις πληροφορίες που έχουν, το εισιτήριο του θεάτρου. Στη συνέχεια, μπορούμε να ζητήσουμε από κάποιους μαθητές να μας διαβάσουν το εισιτήριο, κάνοντας ολοκληρωμένες προτάσεις.

6. Στην Άσκηση 6 αφού οι μαθητές εξοικειωθούν με τις πληροφορίες από το Αθηνόραμα, παίζουν ένα ρόλο. Εμείς, όπως και κάθε φορά που οι μαθητές μας κανουν μία παρόμοια άσκηση, παρακολουθούμε από κοντά τα ζεύγη και βοηθάμε αν έχουν κάποια δυσκολία ή κάποια απορία. Στο τέλος, ζητάμε από τους μαθητές να παίξουν τους ρόλους τους σε ζεύγη μπροστά στους άλλους μαθητές.

7. Στην Άσκηση 7 οι μαθητές συμπληρώνουν το ερωτηματολόγιο, και μετά μιλάνε στα άλλα μέλη της ομάδας τους γι' αυτά που έγραψαν. Ένας άλλος τρόπος για να δουλευτεί αυτή η άσκηση είναι να συμπληρώσουν το ερωτηματολόγιο πρώτα και μετά να κάνουν ο ένας στον άλλον ερωτήσεις του τύπου: *έχεις δει κάποιο θεατρικό έργο τους τελευταίους μήνες;* Αν η απάντηση είναι *ναι*, τότε ακολουθεί η ερώτηση *ποιο;* κ.ο.κ. Με αυτόν τον τρόπο η άσκηση λειτουργεί και ως επικοινωνιακή.

8. Οι τελευταίες δύο ασκήσεις είναι καθαρά επικοινωνιακές.

1 Ακούστε τον διάλογο, και διαλέξτε το σωστό.

1. Οι δύο φίλες βρίσκονται _____ .
   α. στο γραφείο   β. στον δρόμο   γ. στο Πανεπιστήμιο

2. Η Σοφία χτες μελέτησε _____ .
   α. στη βιβλιοθήκη   β. στο σπίτι της   γ. στο σπίτι της Μαίρης

3. Ο κύριος Παπαδόπουλος διδάσκει _____ .
   α. ψυχολογία   β. φιλοσοφία   γ. ιστορία

4. Η Μαίρη θέλει να πιει _____ .
   α. έναν καφέ   β. ένα τσάι   γ. μια πορτοκαλάδα

2 Σωστό (Σ) ή λάθος (Λ); Αν είναι λάθος, πέστε το σωστό και μετά γράψτε το.

1. Η Σοφία έχει πονοκέφαλο.
2. Η Σοφία πήρε μια ασπιρίνη πριν από δύο ώρες.
3. Η Σοφία φοβάται ότι κρύωσε χτες στη στάση του λεωφορείου.
4. Η Σοφία έχει τρεις ώρες μάθημα σήμερα το πρωί.
5. Η Μαίρη έχει μόνο πονοκέφαλο.

3 Ακούστε τον διάλογο, και βάλτε ένα ✔ δίπλα στο σωστό.

1. Το μάθημα φιλοσοφίας αρχίζει στις _____ .

α.    β.    γ.

2. Η Σοφία πήρε μια ασπιρίνη γύρω στις _____ .

α.    β.    γ.

3. Η Σοφία έμεινε χτες στη βιβλιοθήκη μέχρι τις _____ .

α. 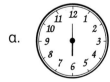   β.    γ.

4 Ταιριάξτε τα παρακάτω μεταξύ τους.

1. Η Σοφία πήρε μια ασπιρίνη...

α. γιατί τα παράθυρα ήταν ανοιχτά.

2. Η Σοφία πρέπει να μείνει στο μάθημα...

β. να πάει να ξεκουραστεί.

3. Η Μαίρη έχει πονοκέφαλο...

γ. γιατί ο καθηγητής θέλει να κρατάνε οι φοιτητές σημειώσεις.

4. Η Σοφία πιστεύει ότι κρύωσε στη βιβλιοθήκη...

δ. αλλά ο πονοκέφαλος δεν πέρασε.

5. Η Μαίρη λέει στη Σοφία...

ε. από το κρασί που ήπιε χτες.

5 Βάλτε τις λέξεις στη σειρά, και γράψτε προτάσεις για τη Σοφία.

1. Η Σοφία έχει _____ .
   πάει / μάθημα / αλλά / είναι / αν / φιλοσοφίας / θα / σίγουρη / δεν

2. Η Σοφία λέει _____ .
   ζεστό / να / πιει / τσάι / ένα /

3. Η Σοφία μάλλον _____ .
   όλο / δεν / αλλά / σώμα / έχει / πονάει / πυρετό / της / το

4. Η Σοφία θα φύγει _____ .
   από / αν / είναι / μετά / δεν / ώρα / λίγη / καλύτερα

6 Ακούστε το διάλογο, και γράψτε τα ρήματα που λείπουν.

Μαίρη Καλημέρα, Σοφάκι. Νωρίς νωρίς σε _____ (1) σήμερα. Πώς κι έτσι;

Σοφία Ε, όχι και νωρίς. Οχτώ και τέταρτο _____ (2). _____ (3) μάθημα φιλοσοφίας στις οχτώμισι. Αλλά να σου _____ (4), δεν _____ (5) σίγουρη αν θα _____ (6).

Μαίρη Γιατί; Τι _____ (7) ;

Σοφία _____ (8), _____ (9) με πολύ δυνατό πονοκέφαλο. _____ (10) μια ασπιρίνη με το πρωινό μου πριν από μία ώρα, όμως ακόμα δεν μου _____ (11).

Μαίρη _____ (12) θερμόμετρο; Να _____ (13). _____ (14) ζεστή;

Σοφία Δε _____ (15) πως _____ (16) πυρετό, αλλά να, βρε Μαίρη, _____ (17) όλο μου το σώμα, _____ (18) ο λαιμός μου, η μύτη μου _____ (19) συνέχεια, άσ' τα. _____ (20) χάλια.

7 Πέστε και μετά γράψτε τι κάνετε εσείς, όταν είστε κρυωμένος/η ή όταν έχετε γρίπη. Χρησιμοποιήστε τα σκίτσα και τα ρήματα.

πηγαίνω / μένω / βάζω / παίρνω / πίνω / φοράω

Πρώτο Μέρος

1 **Ακούστε τον διάλογο, και διαλέξτε το σωστό.**

1. Ο ταμίας ζητάει από τον κύριο Αβραμίδη _____ .
   α. την ταυτότητά του   β. το διαβατήριό του   γ. το δίπλωμά του

2. Ο γιος του κυρίου Αβραμίδη λέγεται _____ .
   α. Δημοσθένης   β. Διογένης   γ. Δημήτριος

3. Ο αριθμός του λογαριασμού του γιου του κυρίου Αβραμίδη είναι
   007157 _____ .
   α. 55894   β. 55893   γ. 55883

4. Ο κύριος Αβραμίδης θέλει να στείλει στον γιο του _____ .
   α. 600   β. 500   γ. 900

2 Σωστό (Σ) ή λάθος (Λ); Αν είναι λάθος, πέστε το σωστό και μετά γράψτε το.

1. Ο κύριος Αβραμίδης κάνει μόνο ανάληψη.

2. Το μικρό του όνομα είναι Παύλος.

3. Η φωτογραφία στην ταυτότητά του είναι παλιά.

4. Ο κύριος Αβραμίδης ξέχασε τα κλειδιά του.

5. Τα χρήματα μπαίνουν αμέσως στον λογαριασμό του γιου του.

6. Ο γιος του κυρίου Αβραμίδη σπουδάζει στην Κομοτηνή.

3 Ακούστε τον διάλογο, και γράψτε τις λέξεις που λείπουν.

Ταμίας Παρακαλώ, ο επόμενος.
Κύριος Θα ήθελα να κάνω μια _____ (1).

Ορίστε το _____ (2) μου.

Ταμίας Μου δίνετε και την _____ (3) σας, παρακαλώ;

Κύριος Βεβαίως. Ένα _____ (4). Ορίστε.

Ταμίας Είστε ο _____ (5) Πέτρος Αβραμίδης.

Κύριος Ναι, ναι, ο ίδιος. Αλλά η _____ (6) είναι παλιά.

Ταμίας Κανένα _____ (7). Πόσα _____ (8) θέλετε

να πάρετε;

Κύριος Εννιακόσια ευρώ.

Ταμίας Μάλιστα. Υπογράψτε, παρακαλώ.

Κύριος Συγνώμη, πού ακριβώς πρέπει να υπογράψω; Βλέπετε, ____
ξέχασα τα _____ (9) μου, και...

Ταμίας Να, εδώ. Εντάξει. Ορίστε τα εννιακόσια ευρώ.

Κύριος Ωραία. Θα ήθελα επίσης να μεταφέρω εξακόσια ευρώ στον

_____ (10) του _____ (11) μου που σπουδά-

ζει στη _____ (12). Ο _____ _____(13)

είναι 007 157 55893.

Ταμίας 007 157 55893. Δημήτριος Αβραμίδης;

Κύριος Ακριβώς.

Ταμίας Πόσα _____ (14) είπατε πως θέλετε να βάλετε στον

_____ (15) του;

Κύριος Εξακόσια ευρώ. Πείτε μου όμως, πότε θα είναι εκεί τα   ____

_____ (16);

Ταμίας Από αυτή τη _____ (17) είναι στον _____ (18)

του. Τίποτ' άλλο;

Κύριος Όχι, ευχαριστώ πολύ. Καλή σας _____ (19).

Δεύτερο Μέρος

4 **Ακούστε τον διάλογο, και διαλέξτε το σωστό.**

1. Η κυρία θέλει να _____ μια επιταγή.
    α. υπογράψει   β. δώσει   γ. εξαργυρώσει

2. Την επιταγή τής την έδωσε _____ .
    α. το λογιστήριο   β. ο φίλος της   γ. το γυμναστήριο

3. _____ εξαργυρώνει την επιταγή της σ' αυτή την τράπεζα.
    α. Κάθε εβδομάδα   β. Κάθε μήνα   γ. Κάθε δύο μήνες

5 Σωστό (Σ) ή λάθος (Λ); Αν είναι λάθος, πέστε το σωστό και μετά γράψτε το.

1. Η κυρία δίνει το διαβατήριό της.

2. Η επιταγή της έχει πρόβλημα.

3. Ο λογαριασμός δεν έχει αρκετά χρήματα.

4. Η κυρία δεν δουλεύει πουθενά.

5. Το γραφείο του διευθυντή είναι δίπλα στο ταμείο.

6 Τι ακούτε στον διάλογο; Το (α) ή το (β);

1. α. Ορίστε και η τυρόπιτά μου.
   β. Ορίστε κι η ταυτότητά μου.

2. α. Δεν υπάρχουν αρκετά χρήματα στον λογαριασμό...
   β. Δεν υπάρχουν πολλά χρήματα στον λογαριασμό...

3. α. Συγνώμη, κυρία μου.
   β. Λυπάμαι, κυρία μου.

4. α. Αν θέλετε, πηγαίνετε να δείτε τον υπεύθυνο.
   β. Αν θέλετε, πηγαίνετε να δείτε τον διευθυντή.

2

7 Σωστό (Σ) ή λάθος (Λ); Αν είναι λάθος, πέστε το σωστό και μετά γράψτε το.

1. Ο Φιλίπ θέλει να ξέρει ποια είναι η τιμή του δολαρίου σήμερα.

2. Ο Φιλίπ θέλει ν' αλλάξει 850 δολάρια σε ευρώ.

3. Ο Φιλίπ δεν έχει το διαβατήριό του μαζί του.

4. Ο ταμίας του δίνει τα χρήματα αλλά δεν του δίνει απόδειξη.

8 Τι ξέρετε γι' αυτούς τους πελάτες της τράπεζας;

	έχει λογαριασμό στην τράπεζα.
	θέλει να αλλάξει δολλάρια.
Ο κ. Αβραμίδης	κάνει ανάληψη.
	στέλνει λεφτά στον γιο του.
Η κυρία	θέλει να εξαργυρώσει μια επιταγή.
	δεν έχει μαζί του τα γυαλιά του.
Ο Φιλίπ	ξεχνάει να πάρει το διαβατήριό του από τον ταμία.
	έρχεται στην τράπεζα με την επιταγή που παίρνει από τη δουλειά της κάθε μήνα.

9 Παίξτε έναν ρόλο.

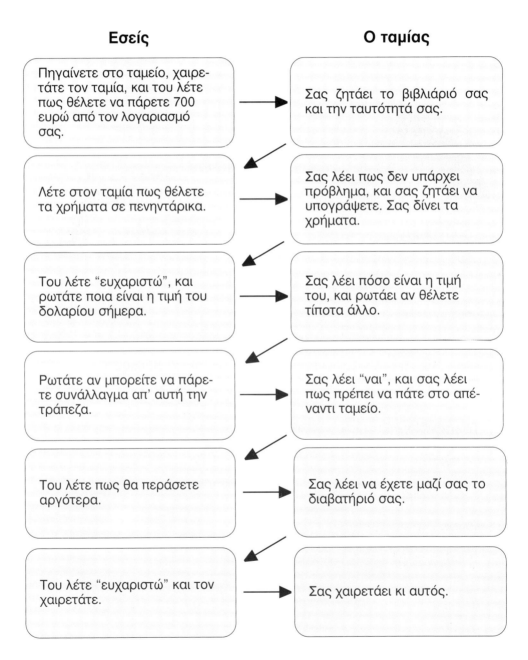

Εσείς   **Ο ταμίας**

Πηγαίνετε στο ταμείο, χαιρε-
τάτε τον ταμία, και του λέτε
πως θέλετε να πάρετε 700
ευρώ από τον λογαριασμό
σας.

Σας ζητάει το βιβλιάριό σας
και την ταυτότητά σας.

Λέτε στον ταμία πως θέλετε
τα χρήματα σε πενηντάρικα.

Σας λέει πως δεν υπάρχει
πρόβλημα, και σας ζητάει να
υπογράψετε. Σας δίνει τα
χρήματα.

Του λέτε "ευχαριστώ", και
ρωτάτε ποια είναι η τιμή του
δολαρίου σήμερα.

Σας λέει πόσο είναι η τιμή
του, και ρωτάει αν θέλετε
τίποτα άλλο.

Ρωτάτε αν μπορείτε να πάρε-
τε συνάλλαγμα απ' αυτή την
τράπεζα.

Σας λέει "ναι", και σας λέει
πως πρέπει να πάτε στο απέ-
ναντι ταμείο.

Του λέτε πως θα περάσετε
αργότερα.

Σας λέει να έχετε μαζί σας το
διαβατήριό σας.

Του λέτε "ευχαριστώ" και τον
χαιρετάτε.

Σας χαιρετάει κι αυτός.

1 Σωστό (Σ) ή λάθος (Λ); Αν είναι λάθος, πέστε το σωστό και μετά γράψτε το.

1. Το μαγαζί έχει ηλεκτρικά είδη.

2. Ο πελάτης ενδιαφέρεται για ένα DVD player.

3. Ξέρει ακριβώς ποιο μοντέλο θέλει.

4. Η υπάλληλος εξυπηρετεί μια πελάτισσα αυτή τη στιγμή.

5. Ο πελάτης βρήκε κάτι που του αρέσει.

Και πόσο κοστίζει;

2 Ακούστε τον διάλογο, και διαλέξτε το σωστό.

1. Ο πελάτης θέλει μια τηλεόραση με _____ οθόνη.
   α. μικρή   β. μέτρια   γ. μεγάλη

2. Το δωμάτιο όπου θα μπει η τηλεόραση είναι περίπου _____ .
   τετραγωνικά μέτρα.
   α. 45   β. 35   γ. 55

3. Η υπάλληλος λέει πως το καλύτερο μοντέλο για το δωμάτιο
   αυτό είναι των _____ ιντσών.
   α. 24   β.14   γ. 32

4. Η τηλεόραση κοστίζει _____ ευρώ.
   α. 1.200   β. 900   γ. 200

5. Η υπάλληλος _____ .
   α. δεν έχει καιρό για τον πελάτη   β. βοηθάει αρκετά τον πελάτη
   γ. μιλάει συνέχεια στο τηλέφωνο

3 Συμπληρώστε τις προτάσεις με τις λέξεις που λείπουν.

1. Η τηλεόραση που θέλει ο πελάτης είναι το τελευταίο
   _____ της SONY.

2. Η τηλεόραση έχει _____ LCD.

3. Υπάρχει σε _____ , _____ και _____ ίντσες.

4. Ο πελάτης ζητάει μια _____ τιμή.

4 Συμπληρώστε την καρτέλα του πελάτη.

Ηλεκτρονική συσκευή_____

Μάρκα _____

Ίντσες (για τηλεόραση) _____

Όνομα πελάτη _____

Διεύθυνση _____

Όροφος_____

Τηλέφωνο _____

Ημερομηνία και ώρα παράδοσης _____

5 Ταιριάξτε τα παρακάτω μεταξύ τους.

1. Μπορεί να γίνει έκπτωση, αν...

α. ο πελάτης πληρώσει με κάρτα.

2. Η τιμή δεν αλλάζει, αν...

β. θα πάει την τηλεόραση στο σπίτι του πελάτη.

3. Η έκπτωση...

γ. ο πελάτης πληρώσει τοις μετρητοίς.

4. Ο πελάτης...

δ. είναι 15%.

5. Το μαγαζί...

ε. θα πληρώσει τοις μετρητοίς.

3

Και πόσο κοστίζει;

6 Ταιριάξτε τα ονόματα των συσκευών με τα σκίτσα.

> κουζίνα   πλυντήριο ρούχων   ψυγείο   στερεοφωνικό   τοστιέρα
> καφετιέρα   φούρνος μικροκυμάτων   σίδερο

1. _____

2. _____

3. _____

4. _____

5. _____

6. _____

7. _____

8. _____

7 Γράψτε ποιες ηλεκτρικές συσκευές έχετε στο σπίτι σας και ποιες θα θέλατε να έχετε.

_____

_____

_____

_____

_____

_____

8 Ακούστε τον διάλογο, και γράψτε τις λέξεις που λείπουν.

Υπάλληλος Καλημέρα _____ (1). Μπορώ να σας βοηθήσω;

Πελάτης Καλημέρα. Ενδιαφέρομαι _____ (2) _____ (3) τηλεό-
ραση.

Υπάλληλος Βεβαίως. Κάποιο _____ (4) μοντέλο;

Πελάτης _____ (5) ακριβώς. Μπορώ να ρίξω _____ (6) ματιά;

Υπάλληλος Φυσικά. Ελάτε μαζί _____ (7). _____ (8) είναι όλες οι
τηλεοράσεις που έχουμε. Ρίξτε εσείς _____ (9) ματιά
_____ (10) τελειώσω _____ (11) την κυρία, και σ'
_____ (12) λεπτάκι _____ (13) είμαι μαζί _____ (14).

. . . .

Υπάλληλος Λοιπόν, είμαι στη διάθεσή _____ (15).

Πελάτης Μμ, νομίζω _____ (16) αυτή _____ (17) μ' αρέσει.

Υπάλληλος Ά, είναι πολύ καλή τηλεόραση. Είναι το τελευταίο μοντέλο
_____ (18) SONY. Υπάρχει _____ (19) 17, 26 και 32
ίντσες, είναι ψηφιακή κι έχει οθόνη LCD.

Πελάτης _____ (20) ενδιαφέρει _____ (21) έχει μεγάλη οθόνη.

Υπάλληλος Πόσα τετραγωνικά μέτρα είναι το δωμάτιο _____ (22)
_____ (23) τη βάλετε;

Πελάτης Πρέπει _____ (24) είναι _____ (25) στα 45.

Υπάλληλος Α, _____ (26) είναι καλύτερα _____ (27) πάρετε το
μοντέλο _____ (28) 32 ιντσών.

Πελάτης Και πόσο κοστίζει;

Υπάλληλος Χίλια διακόσια _____ (29).

9 Παίξτε έναν ρόλο.

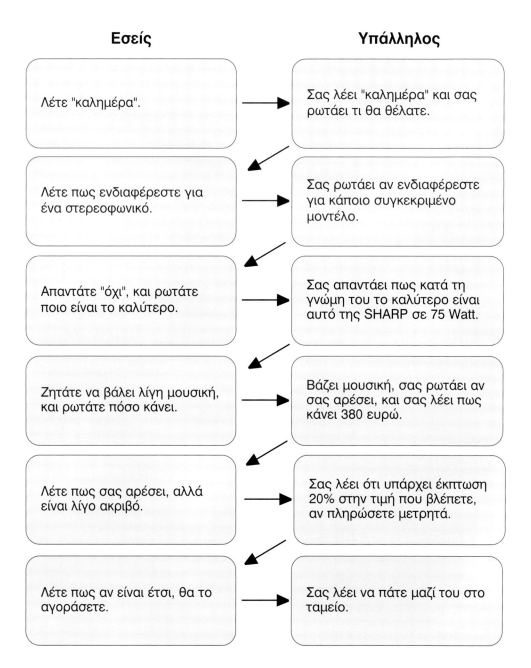

Εσείς	Υπάλληλος
Λέτε "καλημέρα".	Σας λέει "καλημέρα" και σας ρωτάει τι θα θέλατε.
Λέτε πως ενδιαφέρεστε για ένα στερεοφωνικό.	Σας ρωτάει αν ενδιαφέρεστε για κάποιο συγκεκριμένο μοντέλο.
Απαντάτε "όχι", και ρωτάτε ποιο είναι το καλύτερο.	Σας απαντάει πως κατά τη γνώμη του το καλύτερο είναι αυτό της SHARP σε 75 Watt.
Ζητάτε να βάλει λίγη μουσική, και ρωτάτε πόσο κάνει.	Βάζει μουσική, σας ρωτάει αν σας αρέσει, και σας λέει πως κάνει 380 ευρώ.
Λέτε πως σας αρέσει, αλλά είναι λίγο ακριβό.	Σας λέει ότι υπάρχει έκπτωση 20% στην τιμή που βλέπετε, αν πληρώσετε μετρητά.
Λέτε πως αν είναι έτσι, θα το αγοράσετε.	Σας λέει να πάτε μαζί του στο ταμείο.

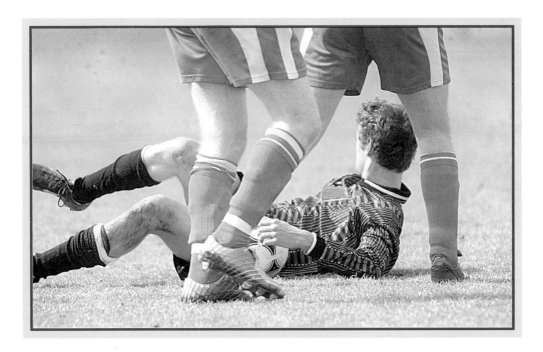

1 Ακούστε τις ειδήσεις, και διαλέξτε το σωστό.

1. Είναι οι ειδήσεις των _____ .
   α. έξι   β. εξίμισι   γ. πέντε

2. Οι ειδήσεις είναι από το κανάλι _____ .
   α. ΑΘΗΝΑ TV   β. ΑΛΦΑ   γ. ΑΛΦΑΒΙΛ

3. Έγινε ένα ατύχημα με _____ .
   α. τρένο   β. αεροπλάνο   γ. πλοίο

4. Η αύξηση στους μισθούς είναι _____ .
   α. 1,5%   β. 3,5%   γ. 2,5%

5. Ο Ολυμπιακός έπαιξε με τον _____ .
   α. ΠΑΟΚ   β. Παναθηναϊκό   γ. Πανιώνιο

6. Περισσότερες ειδήσεις θα έχει στις ειδήσεις των _____ .
   α. εννέα   β. εννέα και μισή   γ. οκτώ

7. Τις ειδήσεις των εννιά θα πει η _____ .
   α. Αριάδνη Γεωργιάδη   β. 'Αννα Γεωργιάδη   γ. Αθηνά Γεωργιάδη

2 **Σωστό (Σ) ή λάθος (Λ); Αν είναι λάθος, πέστε το σωστό και μετά γράψτε το.**

1. Το αεροπλάνο έπεσε κοντά στη Νέα Ορλεάνη.

2. Οι καινούργιες αυξήσεις είναι χαμηλές.

3. Οι σχέσεις κυβέρνησης και εργαζομένων αυτό τον καιρό είναι πολύ καλές.

4. Οι καθηγητές και οι μαθητές δεν συμφωνούν με αυτά που προτείνει η κυβέρνηση για τις εξετάσεις.

5. Ο καιρός είναι πάρα πολύ άσχημος στην Ιρλανδία σήμερα.

6. Οι θερμοκρασίες στην Ιταλία είναι πολύ χαμηλές γι' αυτή την εποχή.

7. Ο αγώνας ποδοσφαίρου έγινε χτες το απόγευμα.

8. Το αποτέλεσμα του αγώνα ήταν 3-1.

3 Ταιριάξτε τα παρακάτω μεταξύ τους.

1. Οι εργαζόμενοι...   α. έγινε στον Ατλαντικό.

2. Οι εξετάσεις...   β. έγινε στο γήπεδο Καραϊσκάκη.

3. Η αεροπορική τραγωδία...   γ. ετοιμάζονται για απεργία.

4. Ο αγώνας...   δ. θα υπάρχουν αργότερα.

5. Ο καιρός...   ε. για τα πανεπιστήμια αλλάζουν.

6. Ζωντανά ρεπορτάζ...   στ. δημιουργεί προβλήματα στη
                                               νότια Ιταλία.

4 Συμπληρώστε τις προτάσεις με τις παρακάτω λέξεις.

> είσοδο / πόλεις / εξετάσεων / γενική / ελικόπτερα / Πέμπτη / μέλη /
> Ελλάδα / πλοία / χωριά / επιβάτες / φαινόμενα

1. _____ και _____ προσπαθούν να βρουν τους
   _____ και τα _____ του πληρώματος.

2. Οι εργαζόμενοι ετοιμάζονται για _____ απεργία την
   επόμενη _____ .

3. Νέο σύστημα _____ για την _____ των μαθητών
   στα πανεπιστήμια της χώρας.

4. Η κακοκαιρία δημιουργεί προβλήματα σε _____
   και _____ .

5. Τα καιρικά _____ θα έρθουν γρήγορα και στην _____ .

4

5 Τι ακούμε στον διάλογο; Το (α) ή το (β);

1. α. Αεροπλάνο έπεσε 90 χιλιόμετρα ανατολικά της Νέας Υόρκης.
   β. Αεροπλάνο έπεσε 80 χιλιόμετρα ανατολικά της Νέας Υόρκης.

2. α. Καθηγητές και μαθητές δε συμφωνούν με τη νέα πρόταση.
   β. Καθηγητές και μαθητές συμφωνούν με τη νέα πρόταση.

3. α. ... γιόρτασαν τη νίκη της ομάδας τους στην πλατεία του Πειραιά.
   β. ... γιόρτασαν τη νίκη της ομάδας τους στο λιμάνι του Πειραιά.

6 Ακούστε τον καιρό και το αθλητικό δελτίο, και γράψτε τις λέξεις που λείπουν.

Μεγάλη _____ (1) στη γειτονική Ιταλία. _____ (2), _____ (3) και πολύ _____ (4), για την εποχή, _____ (5) δημιουργούν μεγάλα προβλήματα σε πόλεις και χωριά της νότιας Ιταλίας. Σύμφωνα με την _____ (6) _____ (7) _____ (8), τα _____ (9) αυτά πολύ γρήγορα θα φτάσουν και στην Ελλάδα.

Μεγάλη νίκη του Ολυμπιακού κατά του Παναθηναϊκού με 3-1 σήμερα το απόγευμα στο γήπεδο Καραϊσκάκη. Τριάντα χιλιάδες φίλαθλοι _____ (10) τον αγώνα. Οι φίλοι του Ολυμπιακού _____ (11) τη νίκη της ομάδας τους στο λιμάνι του Πειραιά.

7 Δείτε τον χάρτη, και βρείτε πώς είναι ο καιρός στις παρακάτω πόλεις.

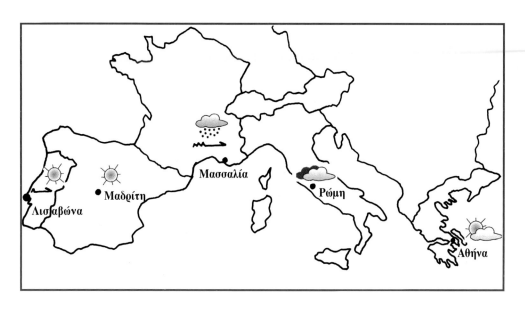

						ΑΝΕΜΟΙ	
							ΑΣΘΕΝΕΙΣ
							ΙΣΧΥΡΟΙ
							ΠΟΛΥ ΙΣΧΥΡΟΙ
ΑΙΘΡΙΟΣ	ΣΥΝΝΕΦΙΑ	ΑΣΤΑΤΟΣ	ΒΡΟΧΗ	ΚΑΤΑΙΓΙΔΑ	ΧΙΟΝΙ		ΘΥΕΛΛΩΔΕΙΣ

Λισαβώνα _____

Μασσαλία _____

Αθήνα _____

Μαδρίτη _____

Ρώμη _____

8 Δείτε τις εικόνες, και γράψτε τις δικές σας σύντομες ειδήσεις των έξι. Βάλτε τα ρήματα στον σωστό χρόνο, και προσθέστε όσες λέξεις χρειάζονται.

1. πρωθυπουργός / Ελλάδα / συναντάω / Γαλλία / αύριο / Μέγαρο Μαξίμου / πρόεδρος

   _____

   _____

2. επιτυχία / παράσταση / Ιαπωνία / ελληνικοί δημοτικοί χοροί / έχω / χτες / μεγάλη

   _____

   _____

3. ξαφνική / μεγάλα / βροχή / σήμερα / προβλήματα / το πρωί / δημιουργώ / δρόμοι / Πάτρα

   _____

   _____

4. η ΑΕΚ / χάνω / 90-84 / από / Περιστέρι / χτες / τελικός κυπέλλου

   _____

   _____

9 Μήπως ξέρετε τα ονόματα κάποιων ελληνικών τηλεοπτικών σταθμών; Κάποιων ελλήνων δημοσιογράφων και πολιτικών;
Αν ναι, γράψτε τα.
Αν όχι, ρωτήστε τους έλληνες φίλους σας.

   _____

   _____

   _____

   _____

1 Ακούστε τον διάλογο, και διαλέξτε το σωστό.

1. Στο γραφείο έχουν _____ πολλή δουλειά.
   α. καμιά φορά   β. συνήθως   γ. σπάνια

2. Ο Βασίλης έχει ραντεβού με την _____ .
   α. Ελένη   β. άλλη   γ. Έλλη

3. Η Έλλη έχει σήμερα _____ .
   α. τα γενέθλιά της   β. τη γιορτή της   γ. πάρτι

4. Ο Βασίλης πρέπει να τηλεφωνήσει _____ .
   α. στο θέατρο   β. στο εστιατόριο   γ. στην ταβέρνα

5. Το τραπέζι τους θα είναι _____ στο παράθυρο.
   α. κοντά   β. απέναντι   γ. μπροστά

2 Ακούστε τον διάλογο, και διαλέξτε το σωστό.

1. Ο Βασίλης πρέπει να είναι στο σπίτι γύρω στις _____ .

α.   β.   γ.

2. Η παράσταση αρχίζει στις _____ .

α.   β.   γ.

3. Ο Βασίλης έκλεισε τραπέζι στο εστιατόριο για τις _____ .

α.   β.   γ.

4. Πρέπει να είναι στο εστιατόριο το αργότερο στις _____ .

α.   β.   γ.

3 Ταιριάξτε τα παρακάτω μεταξύ τους.

1. Αν ο Βασίλης και ο Δημήτρης έχουν άγχος, ...

α. να κλείσει ένα τραπέζι.

2. Ο Δημήτρης μόλις βρει κάποια κοπέλα τον τελευταίο καιρό, ...

β. ο Δημήτρης δε βλέπει να τελειώνουν πριν τα μεσάνυχτα.

3. Ο Βασίλης τηλεφωνεί, για...

γ. δε θα τελειώσουν ποτέ.

4. Αν δεν αρχίσουν τη δουλειά τώρα αμέσως, ...

δ. κάτι γίνεται και χωρίζουν.

4 Τελειώστε τις προτάσεις, όπως τις ακούτε στον διάλογο.

1. "Πότε θα τα γράψουμε _____ ;"

2. "Δεν ξέρει τίποτα ούτε για το θέατρο ούτε _____ ."

3. "Εγώ, βλέπεις, _____ ."

4. "Ε, τότε να σου γνωρίσω _____ ."

5 Σωστό (Σ) ή λάθος (Λ); Αν είναι λάθος, πέστε το σωστό και μετά γράψτε το.

1. Ο Βασίλης και ο Δημήτρης έχουν να στείλουν πολλά πακέτα.

2. Ο Βασίλης έχει ραντεβού με την Έλλη.

3. Το ζευγάρι θα δει μια κωμωδία στο θέατρο.

4. Ο Βασίλης έχει βγάλει εισιτήρια.

5. Ο Δημήτρης ζηλεύει λίγο τον Βασίλη και την Έλλη.

6. Υπάρχει πρόβλημα με το τραπέζι στο εστιατόριο.

6 Ακούστε τον διάλογο, και βάλτε τις προτάσεις στη σειρά.

__ Δύο, και παρακαλώ, αν είναι δυνατόν, το τραπέζι να είναι κοντά στο παράθυρο.

__ Μισό λεπτό. Πόσα άτομα θα είστε;

_1_ "Νησιά", λέγετε παρακαλώ.

__ Ναι, ναι βεβαίως. 6932 964712.

__ Νομίζω πως δεν θα υπάρχει κανένα πρόβλημα. Σας παρακαλώ μόνο να είστε εδώ μέχρι τις δώδεκα το αργότερο. Μπορείτε να μου δώσετε κι ένα τηλέφωνο;

__ Καλησπέρα σας. Θα ήθελα να κλείσω ένα τραπέζι για σήμερα το βράδυ στις έντεκα και μισή στο όνομα Μαρινάκης.

7 Ακούστε τον διάλογο, και γράψτε τις λέξεις που λείπουν.

Βασίλης   Τι _____ (1) είναι αυτή πάλι σήμερα! Πότε θα τα γράψουμε όλα αυτά τα _____ (2) για τους _____ (3);

Δημήτρης   Έλα, ρε συ Βασίλη. Έτσι δεν είναι κάθε _____ (4) στο _____ (5); Από _____ (6) άλλο τίπο-τα. Αν έχουμε _____ (7), και χειρότερα θα είναι, δε θα τελειώσουμε ποτέ.

Βασίλης   Το ξέρω, αλλά σήμερα βιάζομαι. Πρέπει να είμαι στο _____ (8) γύρω στις επτά.

Δημήτρης   Μήπως έχεις _____ (9) με την Έλλη πάλι;

Βασίλης   Ακριβώς, και μην κάνεις πλάκα. Θα βγούμε στις οχτώμισι.

Δημήτρης   Και τι έγινε, δηλαδή, αν βγείτε στις δέκα;

Βασίλης   Α, δε γίνεται γιατί θα πάμε στο _____ (10) να δούμε μια _____ _____ (11), κι η _____ (12) αρχίζει στις εννιά. Έχω βγάλει και τα _____ (13). Ορίστε.

Δημήτρης   Μπα! Πολύ ωραία! Γιορτάζετε τίποτα;

Βασίλης   Είναι τα _____ (14) της. Δεν ξέρει τίποτα ούτε για το _____ (15) ούτε για το _____ (16) μετά την _____ (17).

Δημήτρης Μπράβο! Χρόνια πολλά! Σας ζηλεύω λίγο. Εγώ βλέπεις δεν έχω και πολλή τύχη με τις _____ (18) τον τελευταίο _____ (19). Μόλις βρω κάποια, κάτι γίνεται και χωρίζουμε.

Βασίλης Ε, τότε να σου γνωρίσω καμιά _____ (20) της Έλλης, μπορεί ν' αλλάξει η _____ (21) σου. Αμάν, καλά που το θυμήθηκα! Πρέπει να τηλεφωνήσω στο _____ (22) να κλείσω _____ (23).

8 Πόσες και ποιες ταβέρνες και εστιατόρια ξέρετε στην Ελλάδα ή στη χώρα σας;
Γράψτε τα ονόματα και τις διευθύνσεις τους.
Ποιες είναι οι σπεσιαλιτέ τους;

Όνομα	Διεύθυνση	Φαγητό
_____	_____	_____
_____	_____	_____
_____	_____	_____
_____	_____	_____
_____	_____	_____
_____	_____	_____
_____	_____	_____
_____	_____	_____

9 Παίξτε έναν ρόλο.

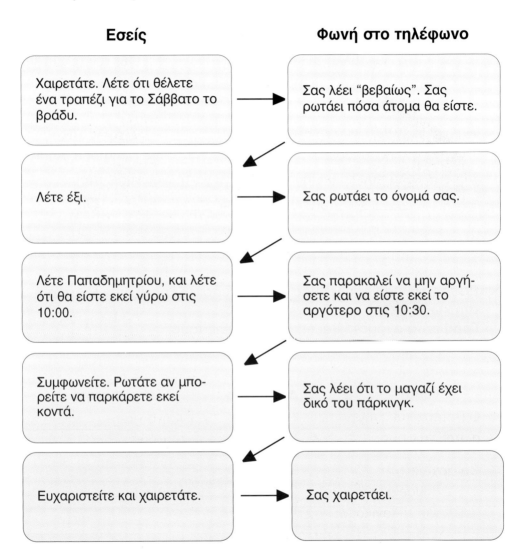

Εσείς

Χαιρετάτε. Λέτε ότι θέλετε ένα τραπέζι για το Σάββατο το βράδυ.

Λέτε έξι.

Λέτε Παπαδημητρίου, και λέτε ότι θα είστε εκεί γύρω στις 10:00.

Συμφωνείτε. Ρωτάτε αν μπορείτε να παρκάρετε εκεί κοντά.

Ευχαριστείτε και χαιρετάτε.

Φωνή στο τηλέφωνο

Σας λέει "βεβαίως". Σας ρωτάει πόσα άτομα θα είστε.

Σας ρωτάει το όνομά σας.

Σας παρακαλεί να μην αργήσετε και να είστε εκεί το αργότερο στις 10:30.

Σας λέει ότι το μαγαζί έχει δικό του πάρκινγκ.

Σας χαιρετάει.

1 Ακούστε τον διάλογο, και διαλέξτε το σωστό.

1. Ο Πέτρος και η Αλέκα μάλλον έρχονται στην Αθήνα για _____ .
   α. πρώτη φορά   β. δεύτερη φορά   γ. τρίτη φορά

2. Θα αρχίσουν τη βόλτα τους από _____ .
   α. το Μουσείο Μπενάκη   β. την Εθνική Πινακοθήκη
   γ. το Αρχαιολογικό Μουσείο

3. Η Εθνική Πινακοθήκη βρίσκεται στην _____ .
   α. Πανεπιστημίου   β. Αλεξάνδρας   γ. Βασιλέως Κωνσταντίνου.

4. Ο Κώστας θέλει να πάει με τους φίλους του _____ .
   α. το σαββατοκύριακο   β. το απόγευμα   γ. αύριο

Βόλτα στην Αθήνα

2 Σωστό (Σ) ή λάθος (Λ); Αν είναι λάθος, πέστε το σωστό και μετά γράψτε το.

1. Ο Κώστας έχει πολλή δουλειά στο γραφείο αυτές τις μέρες.

2. Η Αλέκα και ο Πέτρος είναι Αθηναίοι.

3. Η Αλέκα και ο Πέτρος δεν θέλουν να δουν το Μουσείο Μπενάκη.

4. Η Εθνική Πινακοθήκη είναι πολύ κοντά στο Χίλτον.

5. Κανένα τρόλεϊ δεν περνάει από το Αρχαιολογικό Μουσείο.

6. Η Αλέκα και ο Πέτρος θα δουν σήμερα το Ηρώδειο.

3 Ταιριάξτε τα παρακάτω μεταξύ τους.

1. Ο Πέτρος δεν θέλει...

α. είναι αρκετά κοντά στην Εθνική Πινακοθήκη.

2. Οι φίλοι του Κώστα αν χαθούν, ...

β. αν έχουν όρεξη και κουράγιο.

3. Το Μουσείο Μπενάκη...

γ. ν' αλλάξει ο Κώστας το πρόγραμμά του.

4. Οι φίλοι του Κώστα μπορούν να πάνε με τα πόδια στο Αρχαιολογικό Μουσείο...

δ. θα ρωτήσουν και θα βρουν τον δρόμο τους.

5. Ο Πέτρος και η Αλέκα...

ε. θέλουν να δουν όσο πιο πολλά γίνεται σε δυο μέρες.

4 Τι ακούμε στον διάλογο; Διαλέξτε το σωστό.

1. α. Επιτέλους, αφήσατε την Αλεξανδρούπολη και ήρθατε και στην Αθήνα.

β. Τελικά, αφήσατε την Αλεξανδρούπολη και ήρθατε και στην Αθήνα.

2. α. ...ανησυχώ μη χαθείτε.
    β. ...φοβάμαι μη χαθείτε.

3. α. Τελειώνουμε το καφεδάκι μας, και...
    β. Πίνουμε το καφεδάκι μας, και...

4. α. Θα το δείτε και στον χάρτη.
    β. Θα το βρείτε και στον χάρτη.

5. α. ...θα δείτε την Πανεπιστημίου στα δεξιά σας.
    β. ...θα δείτε την Πατησίων στα δεξιά σας.

6. α. Το κινητό μου τό 'χετε, κλειδιά έχετε, ...
    β. Κινητό σάς έδωσα, κλειδιά έχετε, ...

5 Γράψτε με λίγα λόγια τι θα κάνουν ο Πέτρος και η Αλέκα.
Χρησιμοποιήστε αυτά τα ρήματα και όποια άλλα θέλετε.

> πίνω / αρχίζω / βλέπω / βρίσκω / ρωτάω / πηγαίνω / παίρνω

_____

_____

_____

_____

_____

_____

_____

6 Κοιτάξτε στο "Αθηνόραμα" και βρείτε πού ακριβώς βρίσκονται, καθώς και ποιες μέρες και ώρες είναι ανοιχτά τα παρακάτω μουσεία.
Επίσης, πείτε στην ομάδα σας πόσο κοστίζει το εισιτήριο και τι περιμένετε να δείτε στο καθένα από αυτά.

ΜΟΥΣΕΙΑ - ΑΡΧΑΙΟΛΟΓΙΚΟΙ ΧΩΡΟΙ

ΒΥΖΑΝΤΙΝΟ ΚΑΙ ΧΡΙΣΤΙΑΝΙΚΟ Βασ. Σοφίας 22, 2107211027, 2107232178. Περισσότερα από 1.200 αντικείμενα, από τον 4ο αιώνα έως το 1453 μ.Χ. (είδη καθημερινής χρήσης, εικόνες, γλυπτά, υφάσματα). Τρ. - Κυρ. 8 π.μ. - 7.30 μ.μ. Δευτ. κλειστά. Εισιτ. €4.00, άτομα άνω των 65 ετών €2.00. Είσοδος ελεύθερη για νέους έως 19 ετών & φοιτητές.

ΓΟΥΛΑΝΔΡΗ ΦΥΣΙΚΗΣ ΙΣΤΟΡΙΑΣ Δάφνης, Ψυχικό 2106782200. Ένα ταξίδι στη φυσική ιστορία του πλανήτη μέσα από πλούσιες συλλογές από απολιθώματα αρχαίων πτηνών, ταριχευμένα ζώα, κοχύλια, πετρώματα και έντομα, αλλά και οπτικοακουστικά μέσα. Δευτ.-Σαβ. 9 π.μ. - 2.30 μ.μ. Κυρ. 10 π.μ. - 2.30 μ.μ. Εισιτ. €5.00, παιδ., φοιτ., €3.00 Ενιαίο εισιτήριο και για το Κέντρο Γαία €7.00, παιδ., φοιτ., €4.00.

ΕΘΝΙΚΟ ΑΡΧΑΙΟΛΟΓΙΚΟ Πατησίων 44, 210 8217717. Η "κιβωτός" της αρχαίας ελληνικής τέχνης. Προϊστορικές συλλογές, γλυπτά και χάλκινα αντικείμενα από τα αρχαϊκά μέχρι τα ρωμαϊκά χρόνια, και στον 1ο όροφο τοιχογραφίες από τη Θήρα και η περίφημη συλλογή των αγγείων. Δευτ. 1 - 7.30 μ.μ.. Τρ. - Κυρ. 8 π.μ. - 7.30 μ.μ. Εισιτ. €7.00, άτομα άνω των 65 ετών €3.00. Είσοδος ελεύθερη για νέους έως 19 ετών & φοιτητές.

ΕΛΛΗΝΙΚΗΣ ΛΑΪΚΗΣ ΤΕΧΝΗΣ Κυδαθηναίων 17, Πλάκα 2103229031. Τρ. - Κυρ. 9 π.μ. - 2 μ.μ.. Δευτ. κλειστά. Εισιτ. €2.00, άτομα άνω των 65 ετών €1.00 Για φοιτητές και παιδιά είσοδος ελεύθερη.

ΕΛΛΗΝΙΚΟΣ ΚΟΣΜΟΣ - ΙΔΡΥΜΑ ΜΕΙΖΟΝΟΣ ΕΛΛΗΝΙΣΜΟΥ Πειραιώς 254, Ταύρος, 2125400000. Παρουσίαση του ελληνικού πολιτισμού με τη χρήση της ψηφιακής τεχνολογίας. Δευτ., Τρ., Πεμ., Παρ. 9 π.μ. - 4 μ.μ., Τετ. 9 π.μ. - 7 μ.μ. Κυρ. 11 π.μ. - 3 μ.μ. Σαβ. κλειστά. Υπάρχουν διάφοροι τύποι εισιτηρίων, ανάλογα με τα εκθέματα που θα επισκεφθείτε.

ΕΛΛΗΝΙΚΩΝ ΛΑΪΚΩΝ ΜΟΥΣΙΚΩΝ ΟΡΓΑΝΩΝ Διογένους 1-3, Πλάκα, 2103250198, 2103254119 Τρ. & Πεμ. - Κυρ..10 π.μ. - 2 μ.μ., Τετ. 12 - 6 μ.μ. Δευτ. κλειστά. Είσοδος ελεύθερη.

ΘΕΑΤΡΙΚΟ ΜΟΥΣΕΙΟ Ακαδημίας 50, 2103629430. Δευτ. - Παρ. 10 π.μ. - 1.30 μ.μ. & 9 - 2.30. Σαβ., Κυρ. κλειστά. Είσοδος ελεύθερη.

ΙΣΛΑΜΙΚΗΣ ΤΕΧΝΗΣ Ασωμάτων 22 και Διπύλου, Κεραμεικός, 2103251311. Δεκατρείς αιώνες (7ος - 19ος) καλλιτεχνικής δημιουργίας με αντικείμενα απο την Οθωμανική Αυτοκρατορία, τη Μέση Ανατολή, την Υεμένη, και την Ιβηρική Χερσόνησο. Τρ. - Κυρ. 9 π.μ. 3 μ.μ., Τετ. 9 π.μ. - 9 μ.μ., Δευτ. κλειστά. Εισιτ. €5.00, άνω των 65 ετών €3.00. Φοιτητές και κάθε Τετάρτη είσοδος ελεύθερη.

7 Ακούστε τον διάλογο, και γράψτε τις λέξεις που λείπουν.

Κώστας _____ (1) παιδιά, έτοιμο το πρωινό. Επιτέλους, _____ (2) την Αλεξανδρούπολη και _____ (3) και στην Αθήνα.

Πέτρος Ε, σου τό 'χαμε _____ (4) πως θα _____ (5).   Πάντως, αυτό που δε _____ (6) είναι ν' _____ (7)   το πρόγραμμά σου για μας.

Κώστας _____ (8) κι αλλιώς δε θα _____ (9). _____ (10) πολλή δουλειά στο γραφείο αυτές τις μέρες.   _____ (11) όμως, γιατί δεν _____ (12) την Αθήνα και _____ (13) μη χαθείτε.

Αλέκα Έλα, τώρα, βρε συ Κώστα, μικρά παιδιά _____ (14) ; Θα _____ (15) και θα βρούμε το δρόμο μας. Μην _____ (16) πως _____ (17) και τον χάρτη μαζί μας.

Κώστας Σωστά. _____ (18) το καφεδάκι μας και _____ (19) τις βόλτες σας. Για _____ (20) μου, τι λέει το πρό-γραμμά σας;

Αλέκα Λοιπόν, _____ (21) να _____ (22) οπωσδήποτε την Εθνική Πινακοθήκη, το Μουσείο Μπενάκη και το Αρχαιολο-γικό Μουσείο.

Κώστας Όλα αυτά σήμερα; Θα _____ (23) αρκετό χρόνο;

Πέτρος _____ (24), θ' _____ (25) με την Εθνική Πινακο-θήκη και _____ (26).

Κώστας Λοιπόν, η Πινακοθήκη _____ (27) δίπλα στο Χίλτον, στην οδό Βασιλέως Κωνσταντίνου. Από 'κεί το Μουσείο Μπενάκη _____ (28) δυο βήματα. Θα _____ (29) με τα πόδια. Θα το _____ (30) και στον χάρτη.

8 Παίξτε έναν ρόλο.

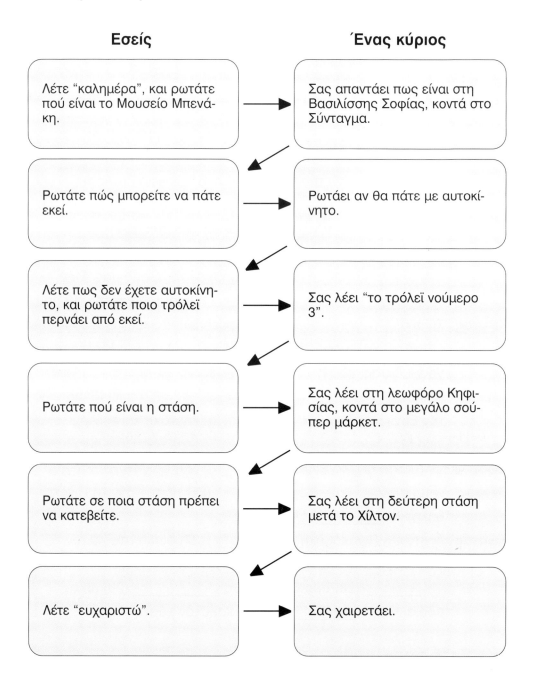

Εσείς

Ένας κύριος

Εσείς	Ένας κύριος
Λέτε "καλημέρα", και ρωτάτε πού είναι το Μουσείο Μπενάκη.	Σας απαντάει πως είναι στη Βασιλίσσης Σοφίας, κοντά στο Σύνταγμα.
Ρωτάτε πώς μπορείτε να πάτε εκεί.	Ρωτάει αν θα πάτε με αυτοκίνητο.
Λέτε πως δεν έχετε αυτοκίνητο, και ρωτάτε ποιο τρόλεϊ περνάει από εκεί.	Σας λέει "το τρόλεϊ νούμερο 3".
Ρωτάτε πού είναι η στάση.	Σας λέει στη λεωφόρο Κηφισίας, κοντά στο μεγάλο σούπερ μάρκετ.
Ρωτάτε σε ποια στάση πρέπει να κατεβείτε.	Σας λέει στη δεύτερη στάση μετά το Χίλτον.
Λέτε "ευχαριστώ".	Σας χαιρετάει.

1 Ακούστε το κείμενο, και διαλέξτε το σωστό.

1. Τον κύριο τον λένε _____ .
    α. Ηλία Χρήστου   β. Χρήστο Ηλιού   γ. Χρήστο Χρήστου

2. Το γκαράζ που υπάρχει τώρα είναι _____ μέτρα πιο κάτω
    από το πάρκο.
    α. 1.500   β. 200   γ. 500

3. Ο δημοσιογράφος θα τηλεφωνήσει _____ .
    α. στον δήμαρχο   β. στο γκαράζ   γ. στον σταθμό

2 Σωστό (Σ) ή λάθος (Λ); Αν είναι λάθος, πέστε το σωστό και μετά γράψτε το.

1. Στο πάρκο πηγαίνουν αρκετοί άνθρωποι μεγάλης ηλικίας.

2. Πηγαίνουν εκεί για να βρουν λίγη ησυχία.

3. Το πάρκο είναι πολύ μακριά από το σπίτι των κατοίκων.

4. Στο πάρκο δεν έρχονται ποτέ παιδιά.

3 Συμπληρώστε τις προτάσεις με πέντε από τις λέξεις ή φράσεις που σας δίνονται παρακάτω.

κάθε μέρα / στην τηλεόραση / πολιτική / κάθε εβδομάδα / έναν άντρα / στο ραδιόφωνο / ένα πρόβλημα / μια παράσταση / μια γυναίκα

1. Η εκπομπή "Καλημέρα Αθήνα" βγαίνει στον αέρα _____ .

2. Η εκπομπή είναι _____ .

3. Το γράμμα που ακούμε σήμερα είναι από _____ .

4. Το γράμμα μιλάει για _____ .

5. Η εκπομπή δεν είναι _____ .

4 Ταιριάξτε τα παρακάτω μεταξύ τους.

1. Το γράμμα είναι...   α. στη λεωφόρο Λιοσίων.

2. Ο κύριος μένει...   β. ένας μικρός παράδεισος.

3. Ο κύριος αγαπάει πολύ...   γ. μεγάλα πράσινα δέντρα.

4. Για πολλούς το πάρκο είναι... δ. από έναν φίλο της εκπομπής.

5. Το πάρκο έχει...   ε. το πάρκο της γειτονιάς του.

5 Βρέστε τις σωστές λέξεις.
Όταν συμπληρώσετε όλα τα τετράγωνα, κάθετα θα βρείτε μία
από τις λέξεις του τίτλου της εκπομπής.

1. Η εκπομπή είναι για τους _____ της Αθήνας.

2. Το μισό όνομα της εκπομπής.

3. Έτσι ονομάζουμε έναν μεγάλο και φαρδύ δρόμο.

4. Το επώνυμο του κυρίου που στέλνει το γράμμα.

5. Το πάρκο είναι ένας _____ παράδεισος.

6. Υπάρχει πολύ _____ στην περιοχή.

7. Το γράμμα πήγε στην εκπομπή σήμερα το _____ .

8. Περνάνε πολλά _____ από τη λεωφόρο.

6 Χρησιμοποιήστε τα παρακάτω, και γράψτε μια περίληψη του γράμματος που ακούσατε. Προσθέστε όσες άλλες λέξεις ή φράσεις νομίζετε ότι χρειάζονται.

- κύριος Χρήστου / λεωφόρος Λιοσίων
- κίνηση / φασαρία / αυτοκίνητα / μηχανάκια / νέφος
- κοντά / σπίτι / πάρκο / δέντρα
- μεγαλύτεροι άνθρωποι / ησυχία / παιδιά
- δήμαρχος / γκαράζ
- γράμμα / πρόβλημα / εκπομπή / βοήθεια

7 Πείτε τι κάνετε ή τι δεν κάνετε σε ένα πάρκο. Χρησιμοποιήστε τα ρήματα και τις λέξεις που σας δίνονται.

κάνω / ξεκουράζομαι / διαβάζω / ακούω / κοιμάμαι / τρέχω / δίνω / πηγαίνω (πάω) / σκέφτομαι / παίζω / μιλάω / μαζεύω

βόλτα / βιβλίο / ηλιοθεραπεία / μουσική / σκύλος / παιδιά / φίλος / πάπια / μπάλα / γάτα / μωρό / λουλούδια / περιστέρι

Πάντα	Πολλές φορές	Ποτέ (δεν)

8 Γράψτε ένα γράμμα σε μια εκπομπή για ένα πρόβλημα που έχει η πόλη σας.

1 Ακούστε τη συνέντευξη, και διαλέξτε το σωστό.

1. Η εκπομπή είναι κάθε _____ .
    α. Κυριακή   β. Δευτέρα   γ. Τετάρτη

2. Καλεσμένη είναι η _____ της φιλοζωικής εταιρείας.
    α. πρόεδρος   β. διευθύντρια   γ. γραμματέας

3. Το όνομα της δημοσιογράφου είναι _____ .
    α. Αθανασίου   β. Αναστασίου   γ. Αντωνίου

4. Η φιλοζωική εταιρεία έχει γύρω στα _____ μέλη.
    α. 1.300   β. 200   γ. 1.200

5. Το τηλέφωνο της εταιρείας είναι _____ .
    α. 210 7015242   β. 210 7016241   γ. 210 7015241

6. Ο Δαρείος βρέθηκε κοντά _____ .
   α. στον Παρθενώνα   β. στον Μαραθώνα   γ. στον Ελαιώνα

7. Αμέσως μετά τη συνέντευξη ακολουθούν _____ .
   α. ειδήσεις   β. δύο ταινίες   γ. διαφημίσεις

2 **Σωστό (Σ) ή λάθος (Λ); Αν είναι λάθος, πέστε το σωστό και μετά γράψτε το.**

1. Η πρόεδρος της φιλοζωικής εταιρείας λέγεται Ιουλία Πετρίδη.

2. Τα κεντρικά γραφεία της εταιρείας βρίσκονται στο Κολωνάκι.

3. Τα μέλη της εταιρείας παίρνουν χρήματα γι' αυτό που κάνουν.

4. Ο Δαρείος βρέθηκε υγιής, καθαρός και χωρίς προβλήματα.

5. Το σκυλάκι χρειάζεται μια οικογένεια που θα το αγαπήσει.

3 **Ταιριάξτε τα παρακάτω μεταξύ τους.**

1. Τα κεντρικά γραφεία της εταιρείας...   α. που δεν έχουν σπίτι.

2. Η φάρμα της εταιρείας...   β. είναι νέοι άνθρωποι.

3. Ο Δαρείος...   γ. είναι στη Λουκιανού.

4. Τα περισσότερα μέλη της εταιρείας...   δ. είναι μόλις έξι μηνών.

5. Η εταιρεία βοηθάει τα ζώα...   ε. είναι στα Σπάτα.

4 Ακούστε τη συνέντευξη, και τελειώστε τις προτάσεις.

1. Όπως κάθε Δευτέρα στις εφτά, _____

_____

2. Ε... η εταιρεία μας κυρία Αναστασίου, άρχισε να λειτουργεί _____

_____

3. Όλα αυτά τα χρόνια, σιγά-σιγά, η οργάνωσή μας _____

_____

4. Πιστεύουμε πως ο καθένας μπορεί να βοηθήσει _____

_____

5. ...ή να μας στείλει φαξ _____

6. ...να μην ξεχνάνε τη χαρά και την αγάπη _____

_____

5 Συμπληρώστε τα στοιχεία που λείπουν, και ετοιμάστε ένα
   διαφημιστικό φυλλάδιο για τη φιλοζωική εταιρεία.

Επωνυμία εταιρείας   _____
Χρόνος ίδρυσης   _____
Αριθμός μελών   _____
Δραστηριότητες   _____
                     _____
Διεύθυνση γραφείων   _____
Διεύθυνση φάρμας   _____
Τηλέφωνο / φαξ   _____
e-mail   _____

6 Βρείτε στο λεξικό σας τη σημασία των λέξεων *στείρωση, εμβολιασμός, αδέσποτο ζώο, ευθανασία,* και μιλήστε για τα παρακάτω θέματα απαντώντας στις ερωτήσεις.

1. Τι γνώμη έχετε για τα αδέσποτα ζώα;

2. Τι γνώμη έχετε για τη στείρωση των ζώων;

3. Τι σημαίνει για σας η λέξη "φιλόζωος";

4. Εσείς τι κάνετε, όταν βλέπετε αδέσποτα ζώα;

7 Γράψτε ένα γράμμα στη φιλοζωική εταιρεία "Οι φίλοι μας". Μιλήστε τους για την οικογένειά σας, και πέστε τους ότι ενδιαφέρεστε για τον Δαρείο.

_____

_____

_____

_____

_____

_____

_____

_____

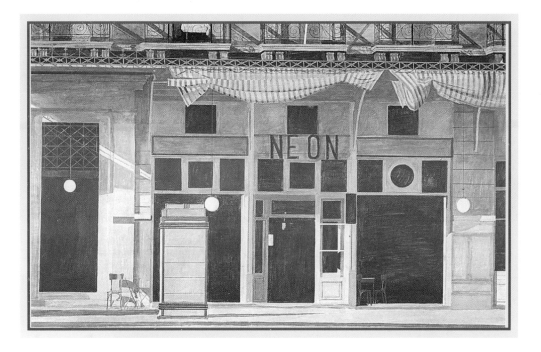

🔲 Ακούστε τον διάλογο, και διαλέξτε το σωστό.

1. Ο Τσαρούχης γεννήθηκε στον Πειραιά το _____ .
    α. 1909   β. 1901   γ. 1919

2. Ο Τσαρούχης έκανε τα σκηνικά για την παράσταση της Μήδειας
    στην Όπερα του Ντάλας το _____ .
    α. 1968   β. 1958   γ. 1956

3. Το σπίτι του Τσαρούχη άρχισε να λειτουργεί ως μουσείο το _____ .
    α. 1987   β. 1989   γ. 1981

4. Μετά τον θάνατο του Τσαρούχη το Μουσείο έμεινε κλειστό
    μέχρι το _____ .
    α. 1992   β. 1993   γ. 1982

2 Σωστό (Σ) ή λάθος (Λ); Αν είναι λάθος, πέστε το σωστό και μετά γράψτε το.

1. Ο Τσαρούχης σπούδασε ζωγραφική στο πανεπιστήμιο του Μιλάνου.

2. Ο Τσαρούχης δεν έκανε εκθέσεις στο εξωτερικό.

3. Ο Τσαρούχης εικονογράφησε βιβλία του Σεφέρη και του Ελύτη.

4. Ο Τσαρούχης έκανε σκηνικά για παραστάσεις στη Σκάλα του Μιλάνου.

5. Το σπίτι του δε λειτουργούσε ως μουσείο όσο καιρό ο Τσαρούχης έμενε εκεί.

6. Ο Τσαρούχης ήταν πρόεδρος του Μουσείου για οκτώ χρόνια.

7. Το Μουσείο έμεινε κλειστό για έξι χρόνια μετά τον θάνατο του Τσαρούχη.

8. Στο Μουσείο δεν μπορούμε να καπνίσουμε.

3 Ταιριάξτε τα παρακάτω μεταξύ τους.

1. Στους δύο ορόφους του Μουσείου...   α. Έλληνες ζωγράφους.

2. Είναι ένας από τους καλύτερους...   β. είναι απολύτως ελληνικά.

3. Οι επισκέπτες μπορούν να αγοράσουν...   γ. υπάρχουν πολλά έργα του Τσαρούχη.

4. Τα θέματα και τα χρώματα της ζωγραφικής του Τσαρούχη...   δ. δεν πληρώνουν εισιτήριο.

5. Τα σχολεία...   ε. αφίσες και κάρτες.

4 Απαντήστε στις ερωτήσεις σύμφωνα με αυτά που ακούσατε.

1. Με ποια ελληνικά και ξένα θέατρα συνεργάστηκε ο Τσαρούχης;

   _____

2. Εκτός από ζωγράφος τι άλλο ήταν ο Τσαρούχης;

   _____

3. Ποιες μέρες και ώρες είναι ανοιχτό το Μουσείο Τσαρούχη;

   _____

5 Χρησιμοποιήστε τις πληροφορίες, και μιλήστε για τους παρακάτω νεοέλληνες ζωγράφους. Έπειτα γράψτε ένα σύντομο βιογραφικό σημείωμα για τον κάθε καλλιτέχνη.

Θεόφιλος

- 1860 (Μυτιλήνη) - 1934
- αυτοδίδακτος / εκπρόσωπος της ελληνικής λαϊκής ζωγραφικής
- 30 χρόνια στο Πήλιο
- τοιχογραφίες σε σπίτια και σε χωριά της Μυτιλήνης και του Πηλίου
- ιστορικά και αισθηματικά θέματα, τοπία με βοσκούς, πανηγύρια
- ήρωές του οι: Μέγας Αλέξανδρος, Κωνσταντίνος Παλαιολόγος, Κολοκοτρώνης

_____

_____

_____

_____

_____

Γιάννης Μόραλης

- 1916 (Άρτα) -
- Σπουδές: Σχολή Καλών Τεχνών, Αθήνα
  Σχολή Καλών Τεχνών, Παρίσι
  Σχολή Τεχνών και Επαγγελμάτων, Παρίσι
- σκηνογράφος, ζωγράφος, διακοσμητής, χαράκτης, πολλές εκθέσεις στην Ελλάδα και στο εξωτερικό
- έργο του (σύνθεση με την θεά Αθηνά σε γιαννιώτικο μάρμαρο) βρίσκεται στον εξωτερικό τοίχο του Χίλτον

Κωνσταντίνος Παρθένης

- 1878 (Αλεξάνδρεια, Αίγυπτος) - 1967 (Αθήνα)
- Σπουδές: Αλεξάνδρεια, Ρώμη, Βιέννη
- μεγάλος δάσκαλος της ζωγραφικής
- 1929-1946 καθηγητής στη Σχολή Καλών Τεχνών της Αθήνας
- θέματα από την αρχαία ελληνική μυθολογία και ιστορία αλλά και από τον χριστιανισμό

κλαρίνο

νταούλι

τρομπέτα

τρομπόνι

1 Σωστό (Σ) ή λάθος (Λ); Αν είναι λάθος, πέστε το σωστό και μετά γράψτε το.

1. Η ομιλία γίνεται στο πολιτιστικό κέντρο του Δήμου Κυψέλης.

2. Είναι η δεύτερη χρονιά που το πολιτιστικό κέντρο οργανώνει ομιλίες για τα έθιμα της Ελλάδας.

3. Οι ομιλίες γίνονται κάθε εβδομάδα.

4. Η ομιλήτρια είναι καθηγήτρια της λαογραφίας στο Πανεπιστήμιο της Θεσσαλονίκης.

5. Το θέμα της ομιλίας είναι το καρναβάλι της Πάτρας.

2 Ακούστε την ομιλία, και διαλέξτε το σωστό.

1. Η καθηγήτρια λέγεται _____ .
   α. Οικονομάκη   β. Οικονομίδη   γ. Οικονομοπούλου

2. Το καστοριανό καρναβάλι γίνεται _____ .
   α. την άνοιξη   β. τον χειμώνα   γ. το φθινόπωρο

3. Στην Καστοριά μπορεί να δει κανείς περισσότερες από _____ βυζαντινές εκκλησίες.
   α. ενενήντα   β. εκατό   γ. εβδομήντα

4. Το καστοριανό καρναβάλι τελειώνει στις _____ Ιανουαρίου.
   α. 8   β. 18   γ. 7

3 Ταιριάξτε τα παρακάτω μεταξύ τους.

1. Δεκάδες μικρές μπάντες...   α. υπάρχει εδώ και αιώνες.

2. Η Καστοριά ήταν...   β. για το εμπόριό της και τις τέχνες.

3. Το καρναβάλι της Καστοριάς...   γ. παίζουν μουσική σε όλους τους δρόμους.

4. Η πόλη ήταν γνωστή...   δ. μια πολύ σημαντική βυζαντινή πόλη.

4 Ακούστε την ομιλία, και γράψτε τα ρήματα που λείπουν.

κ. Οικονομάκη Καλησπέρα κι από εμένα. Θα σας _____ (1) απόψε δύο λόγια για ένα από τα πιο παλιά ελληνικά καρναβάλια. Εδώ και αιώνες, η Καστοριά έχει _____ (2) τον δικό της τρόπο να _____ (3) την άνοιξη μέσα στην καρδιά του χειμώνα. Το καρναβάλι της Καστοριάς, τα Ραγκουτσάρια, όπως _____ (4) γνωστό, _____ (5) τη σημερινή του μορφή από τα πρώτα βυζαντινά χρόνια. Η Καστοριά _____ (6) μια πολύ σημαντική βυζαντινή πόλη. Το εμπόριο και οι τέχνες την _____ (7) γνωστή σε ολόκληρη τη βυζαντινή αυτοκρατορία. Ακόμα και σήμερα το _____ (8) κανείς αυτό, _____ (9) μια βόλτα στην πόλη, που _____ (10) περισσότερες από 70 βυζαντινές εκκλησίες. Από εκείνη την εποχή, οι κάτοικοι _____ (11) με τρα-γούδια και χορούς ένα καρναβάλι που δεν _____ (12) καμία σχέση με τον Χριστιανισμό, αλλά με τη λατρεία του θεού Διονύσου.

5 Γράψτε μια κάρτα σε έναν φίλο σας από την Καστοριά, όπου βρίσκεστε, για τα Ραγκουτσάρια. Χρησιμοποιήστε τις παρακάτω λέξεις:

> χορός / τραγούδι / μουσική / χορεύω / πίνω / κλαρίνο / εκκλησίες / βλέπω / φωτογραφίες / φαγητό / τρώω / κοιμάμαι / λίμνη

6 Γίνεται κάποιο καρναβάλι ή κάτι σχετικό στη χώρα σας; Πότε γίνεται; Πόσες μέρες κρατάει; Ποια είναι τα έθιμά σας για το καρναβάλι; Ετοιμάστε μια μικρή ομιλία.

10

Τα Ραγκουτσάρια

7 Παίξτε έναν ρόλο.

Προτείνετε σε έναν φίλο σας / μια φίλη σας ένα ταξίδι στην Καστοριά
για το καρναβάλι.

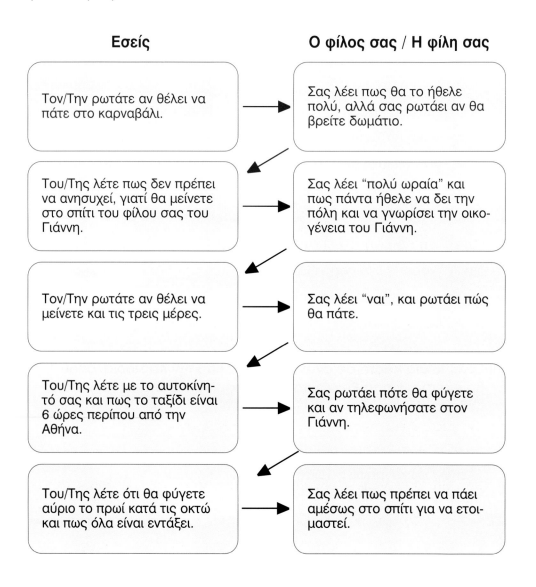

Εσείς	Ο φίλος σας / Η φίλη σας
Τον/Την ρωτάτε αν θέλει να πάτε στο καρναβάλι.	Σας λέει πως θα το ήθελε πολύ, αλλά σας ρωτάει αν θα βρείτε δωμάτιο.
Του/Της λέτε πως δεν πρέπει να ανησυχεί, γιατί θα μείνετε στο σπίτι του φίλου σας του Γιάννη.	Σας λέει "πολύ ωραία" και πως πάντα ήθελε να δει την πόλη και να γνωρίσει την οικογένεια του Γιάννη.
Τον/Την ρωτάτε αν θέλει να μείνετε και τις τρεις μέρες.	Σας λέει "ναι", και ρωτάει πώς θα πάτε.
Του/Της λέτε με το αυτοκίνητό σας και πως το ταξίδι είναι 6 ώρες περίπου από την Αθήνα.	Σας ρωτάει πότε θα φύγετε και αν τηλεφωνήσατε στον Γιάννη.
Του/Της λέτε ότι θα φύγετε αύριο το πρωί κατά τις οκτώ και πως όλα είναι εντάξει.	Σας λέει πως πρέπει να πάει αμέσως στο σπίτι για να ετοιμαστεί.

1 **Ακούστε τη συνέντευξη, και διαλέξτε το σωστό.**

Σήμερα ο δημοσιογράφος Νίκος *Συμεωνίδης/Σαμανίδης* έχει έναν καλε-

σμένο στην εκπομπή του. Απόψε ο καλεσμένος του είναι ο

παραγωγός/σκηνοθέτης του ελληνικού θεάτρου *Διονύσης/Δημήτρης*

Παντελίδης. Συζητάνε για την καινούργια του θεατρική δουλειά, η οποία

παίζεται για *τρίτη/τέταρτη* εβδομάδα. Η παράσταση έχει μεγάλη επιτυχία

και θα παίζεται μέχρι το τέλος *Απριλίου/Μαρτίου*. Τα τελευταία χρόνια, ο

Παντελίδης είχε πολλές *επιτυχίες/αποτυχίες*. Ο ίδιος λέει ότι ίσως το

μυστικό είναι ότι αγαπάει *λίγο/πολύ* τη δουλειά του.

2 Ακούστε τη συνέντευξη, και βάλτε ένα ✔ δίπλα στις προτάσεις που έχουν σχέση με την υπόθεση του έργου.

1. Και τα δύο πρόσωπα του έργου είναι άντρες.

2. Τα δύο πρόσωπα του έργου είναι ζευγάρι.

3. Έχουν δύο παιδιά.

4. Η ζωή τους μέχρι τώρα δεν είχε προβλήματα.

5. Αρχίζουν να καταλαβαίνουν τα προβλήματα που έχουν μέσα από την υπόθεση που παίρνει ο σύζυγος.

6. Η γυναίκα είναι νοικοκυρά και ο άντρας είναι δάσκαλος.

7. Η γυναίκα εργάζεται στο σπίτι και ο άντρας είναι δικηγόρος.

8. Στο τέλος βλέπουν ότι η σχέση τους είναι αληθινή.

3 Ταιριάξτε τα παρακάτω μεταξύ τους.

1. Το "Θρίλερ του Έρωτα" θα τελειώσει...　　γ. με το Ανοιχτό Θέατρο.

2. Η σειρά που ετοιμάζεται...　　α. τον Οκτώβριο.

3. Η σειρά θα παίζεται από...　　β. στα Μέγαρα.

4. Ο σκηνοθέτης θα συνεργαστεί...　　δ. είναι εβδομαδιαία.

5. Το Ανοιχτό Θέατρο θα έχει παραστάσεις...　　ε. στις 30 Απριλίου.

4 Κάντε τις αλλαγές που χρειάζονται, και βάλτε τις παρακάτω λέξεις στη σωστή πρόταση.

> ζεστός / κέφι / ενδιαφέρων / μικρός / ρεαλιστικός / θέατρο / Μολιέρος

1. Το θέατρο "Βάκχος" είναι _____ και _____ χώρος.

2. Το _____ θα είναι κλειστό τον Μάιο.

3. Το _____ σκηνικό βοηθάει το ύφος του έργου.

4. Για τη σειρά όλοι δουλεύουν με πολύ _____ .

5. Το σενάριο της σειράς είναι πολύ _____ .

6. Το καλοκαίρι θα ανεβάσουν ένα έργο του _____ .

5 Συμπληρώστε το εισιτήριο του θεάτρου.

Θέατρο	No. 0001010
Το .... του .... του .... Σκηνοθεσία .... Οδός .... αριθμός .... Τηλέφωνο	Σειρά **Β** Αρ. Θέσης **25**
Είσοδος € 30	

6 Παίξτε έναν ρόλο.

Κοιτάξτε στο περιοδικό "Αθηνόραμα", και πάρτε έναν φίλο σας / μια
φίλη σας στο τηλέφωνο για να του/της προτείνετε να πάτε στο θέατρο.

Θ Ε Α Τ Ρ Α

Θέατρο Αλάμπρα
Στουρνάρη 53, Τηλ.: 210 5227493
"ΠΟΠ ΚΟΡΝ" του Μπεν Έλτον
Σκηνοθεσία: Ηλίας Λογοθέτης
Παίζουν: Στρ. Τζώρτζογλου, Ηλ.
Λογοθέτης, Κατ. Γιατζόγλου.
Παραστάσεις:
Τρίτη-Παρασκευή, 21:15
Σάββατο 18:30, 21:15
Κυριακή 18:30, 21:15
Εισιτήριο: €25, €15 (φοιτητικό)

Θέατρο Προσκήνιο
Καπνοκοπτηρίου 8 & Στουρνάρη
Τηλέφωνο: 210 8252243
"ΜΕ ΤΟ ΙΔΙΟ ΝΟΜΙΣΜΑ" του Νόρ-
μαν Κράσνα.
Σκηνοθεσία: Β. Μυριανθόπουλος
Παίζουν: Μ. Τουμασάτου, Α. Μονο-
γιού, Χρ. Γιάνναρης, Β. Παλαιολό-
γος, Χ. Βορκάς, Π. Κωστής.
Παραστάσεις:
Από 1 έως 5 Ιουλίου
Εισιτήριο: €7

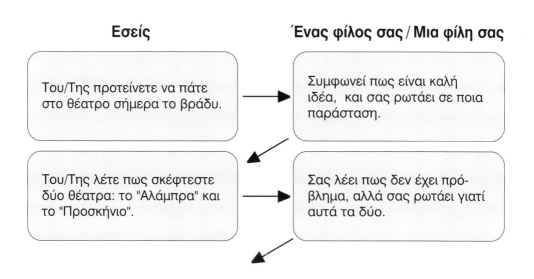

Εσείς

Του/Της προτείνετε να πάτε
στο θέατρο σήμερα το βράδυ.

Του/Της λέτε πως σκέφτεστε
δύο θέατρα: το "Αλάμπρα" και
το "Προσκήνιο".

Ένας φίλος σας / Μια φίλη σας

Συμφωνεί πως είναι καλή
ιδέα, και σας ρωτάει σε ποια
παράσταση.

Σας λέει πως δεν έχει πρό-
βλημα, αλλά σας ρωτάει γιατί
αυτά τα δύο.

Του/Της απαντάτε πως στα δύο αυτά θέατρα παίζουν δύο ηθοποιοί που σας αρέσουν πολύ.

→

Σας λέει πως και εκείνου/εκείνης του/της αρέσουν επίσης αυτοί οι δύο ηθοποιοί, και ρωτάει πού είναι τα θέατρα.

Του/Της λέτε τις διευθύνσεις.

→

Σας λέει πως προτιμάει το θέατρο "'Αλάμπρα", γιατί είναι πιο κοντά στο σπίτι του.

Του/Της λέτε "εντάξει".

→

Σας ρωτάει τι ώρα αρχίζει η παράσταση.

Του/Της λέτε την ώρα.

→

Σας ρωτάει τι ώρα θα συναντηθείτε.

Του/Της προτείνετε να συναντηθείτε στο "FLOCAFÉ" στις 19:15.

→

Σας λέει "εντάξει" και σας ρωτάει αν θα βρείτε εισιτήρια.

Του/Της λέτε ότι δεν υπάρχει πρόβλημα, και τον χαιρετάτε.

→

Σας λέει "Τα λέμε".

7 Συμπληρώστε το ερωτηματολόγιο.

1. Έχετε δει κάποιο θεατρικό έργο αυτή τη χρονιά;
   Ναι _____ Όχι _____ Ποιο; _____

2. Έχετε πάρει αυτόγραφο από κάποιον ηθοποιό;
   Ναι _____ Όχι _____ Από ποιον; _____

3. Έχετε κάποιους αγαπημένους ηθοποιούς;
   Ναι _____ Όχι _____ Ποιους; _____

4. Έχετε κάποια αγαπημένα θεατρικά έργα;
   Ναι _____ Όχι _____ Ποια; _____
   _____

8 Οργανώνετε ένα πάρτι, στο οποίο μπορείτε να καλέσετε όποιον διάσημο ηθοποιό ή σκηνοθέτη θέλετε από το παρόν ή το παρελθόν. Ποιους έξι θα καλούσατε και γιατί;
Αν μπορούσατε να κάνετε μία μόνο ερώτηση στον κάθε φανταστικό σας καλεσμένο, ποια θα ήταν;

9 Τι σας αρέσει περισσότερο; Το θέατρο ή ο κινηματογράφος; Γιατί;

_____

_____

_____

_____

_____

_____

1 Ακούστε το κείμενο, και διαλέξτε το σωστό.

1. Αν πάμε, θα πρέπει να ξεκινήσουμε από την Αθήνα γύρω στις
    _____ .

    α. 7:30 π.μ.   β. 8:30 π.μ.   γ. 7:00 π.μ.

2. Για να πάμε από την Κόρινθο στην Σπάρτη, χρειαζόμαστε περίπου
    _____ .

    α. μιάμιση ώρα   β. δυόμισι ώρες   γ. μία ώρα

3. Δεν μπορούμε να μπούμε στον Μυστρά μετά τις _____ .
    α. 2:30   β. 2:15   γ. 2:00

2 Σωστό (Σ) ή λάθος (Λ); Αν είναι λάθος, πέστε το σωστό και μετά γράψτε το.

1. Ο δρόμος από Κόρινθο για Τρίπολη είναι αυτοκινητόδρομος.

2. Τα σπήλαια Διρού μπορείτε να τα δείτε μόνο με βάρκα.

3. Στο χωριό Βάθεια ζουν αρκετοί άνθρωποι.

4. Θα χρειαστείτε περίπου δύο ώρες για να γυρίσετε στην Αθήνα.

5. Μια καλή στάση για καφέ ή γλυκό είναι το Λουτράκι.

3 Διαλέξτε το σωστό.

Η εκπομπή:

1. α. είναι την Πέμπτη.
   β. είναι την Παρασκευή.

2. α. είναι το πρωί.
   β. είναι το μεσημέρι.

3. α. έχει για θέμα μια εκδρομή.
   β. έχει για θέμα μια συνταγή.

4. α. είναι δύο φορές την εβδομάδα.
   β. είναι μία φορά την εβδομάδα.

4 Ταιριάξτε τα παρακάτω μεταξύ τους.

1. Το Γύθειο είναι...   α. Μαραθονήσι.

2. Το νησί Κρανάη λέγεται και...   β. 18 χιλιόμετρα από τον Διρό.

3. Στο Μαραθονήσι ίσως έμειναν...   γ. στην Αρεόπολη.

4. Τα σπήλαια Διρού είναι κοντά...   δ. ο Πάρις και η Ωραία Ελένη.

5. Ο Γερολιμένας απέχει...   ε. δίπλα στη θάλασσα.

5 Διαλέξτε το σωστό.

Ο Μυστράς:

1. είναι δίπλα στην Τρίπολη.

2. είναι μετά την Τρίπολη.

3. είναι 8 χιλιόμετρα πριν από τη Σπάρτη.

4. είναι κοντά στη Σπάρτη.

5. είναι μοντέρνα πόλη.

6. έχει βυζαντινές εκκλησίες.

7. είναι ανοιχτός όλη την ημέρα.

6 Χρησιμοποιήστε τα κατάλληλα ρήματα, τα κατάλληλα άρθρα
και τις πληροφορίες που υπάρχουν στις δύο στήλες, και κάντε
προτάσεις. Κάντε όσες αλλαγές χρειάζονται.

1.	Μυστράς	α.	ψαροταβέρνες
2.	Γύθειο	β.	πύργος Τζανετάκη
3.	Νησί Κρανάη	γ.	ακρωτήριο
4.	Αρεόπολη	δ.	εκκλησίες με τοιχογραφίες
5.	Ταίναρο	ε.	το νοτιότερο σημείο της Πελοποννήσου
		στ.	καταπληκτική θέα
		ζ.	μανιάτικοι πύργοι
		η.	σπήλαια Διρού
		θ.	Βυζάντιο

7 Ακούστε το κείμενο, και γράψτε:

α. Τις πόλεις με τη σειρά που τις ακούτε

Γύθειο - Κόρινθος - Σπάρτη - Αρεόπολη - Αθήνα - Τρίπολη

1 _____

2 _____

3 _____

4 _____

5 _____

6 _____

β. Πόσα χιλιόμετρα απέχουν μεταξύ τους τα παρακάτω μέρη

1. Κόρινθος - Σπάρτη: _____ χιλιόμετρα.

2. Σπάρτη - Μυστράς: _____ χιλιόμετρα.

3. Σπάρτη - Γύθειο: _____ χιλιόμετρα.

4. Γερολιμένας - Σπήλαια Διρού: _____ χιλιόμετρα.

8 Ακούστε το κείμενο, και σημειώστε στον χάρτη τη διαδρομή που ακούσατε.

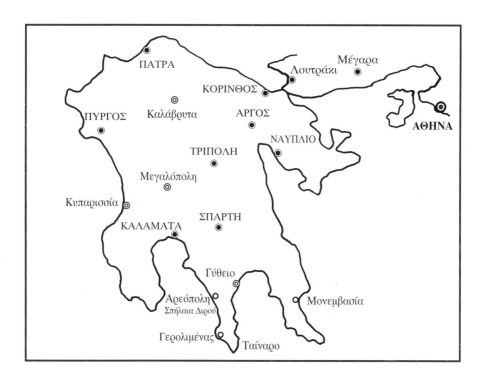

9 Αν ξέρετε περισσότερα πράγματα για την Ελλάδα, γράψτε πού βρίσκονται οι παρακάτω πόλεις και νησιά.

Ιωάννινα, Ξάνθη, Βόλος, Λάρισα, Πάτρα, Καστοριά, Αγρίνιο, Ζάκυνθος, Θεσσαλονίκη, Αλεξανδρούπολη, Μεσολόγγι, Κάρπαθος, Ηγουμενίτσα, Καλαμάτα, Κέρκυρα, Σύρος

Μακεδονία	Θράκη	Στερεά Ελλάδα	Θεσσαλία
_____	_____	_____	_____
_____	_____	_____	_____

Ήπειρος	Πελοπόννησος	Νησιά Ιονίου	Νησιά Αιγαίου
_____	_____	_____	_____
_____	_____	_____	_____

10 Αν έχετε έρθει στην Ελλάδα ή γνωρίζετε την Ελλάδα, γράψτε ποια μέρη ξέρετε και πού βρίσκονται.

_____   _____

_____   _____

_____   _____

_____   _____

_____   _____

_____   _____

11 Μιλήστε στην τάξη για μια εκδρομή σας στην Ελλάδα.
Μετά γράψτε ένα γράμμα σε μια φίλη / σ' έναν φίλο γι' αυτή την εκδρομή.
Αν δεν έχετε επισκεφτεί την Ελλάδα ακόμα, μιλήστε για τα μέρη που θα θέλατε να επισκεφτείτε.

Διάλογοι και κείμενα

1 Έβαλες θερμόμετρο;

Μαίρη Καλημέρα, Σοφάκι. Νωρίς νωρίς σε βλέπω σήμερα. Πώς κι έτσι;

Σοφία Ε, όχι και νωρίς. Οχτώ και τέταρτο είναι. Έχω μάθημα φιλοσοφίας στις οχτώμισι. Αλλά να σου πω, δεν είμαι σίγουρη αν θα πάω.

Μαίρη Γιατί; Τι έγινε;

Σοφία Άσε, ξύπνησα με πολύ δυνατό πονοκέφαλο. Πήρα μια ασπιρίνη με το πρωινό μου πριν από μία ώρα, όμως ακόμα δεν μου πέρασε.

Μαίρη Έβαλες θερμόμετρο; Να δω. Είσαι ζεστή;

Σοφία Δε νομίζω πως έχω πυρετό, αλλά να, βρε Μαίρη, πονάει όλο μου το σώμα, πονάει ο λαιμός μου, η μύτη μου τρέχει συνέχεια, άσ' τα. Είμαι χάλια.

Μαίρη Μα καλά, βρε παιδί μου, χτες ήσουν μια χαρά. Και κάθισες μέχρι τις 5 στη βιβλιοθήκη να διαβάσεις.

Σοφία Φοβάμαι πως εκεί κρύωσα, γιατί τα παράθυρα ήταν ανοιχτά.

Μαίρη Ε, και τι κάθεσαι; Δεν πας καλύτερα στο σπίτι να ξεκουραστείς; Δε χάλασε δα και ο κόσμος, αν χάσεις ένα μάθημα.

Σοφία Μωρέ... δε μ' αρέσει να χάνω τα μαθήματα του Παπαδόπουλου. Θέλει κάθε φορά να κρατάμε σημειώσεις.

Μαίρη Ίσως έχεις δίκιο, αλλά θα μπορέσεις να μείνεις και τις τρεις ώρες;

Σοφία Ε, θα δούμε. Λέω να πιω ένα ζεστό τσάι με μέλι και να πάρω μια βιταμίνη C. Αν δεν είμαι καλύτερα μετά από λίγη ώρα, θα φύγω.

Μαίρη Όπως νομίζεις. Έλα, πάμε τότε πάνω στην καντίνα, γιατί κι εγώ χρειάζομαι έναν δυνατό καφέ. Με πονάει και μένα το κεφάλι μου, όχι όμως από γρίπη αλλά από το κρασί που ήπια χτες.

2 Θα ήθελα να κάνω μία ανάληψη

Πρώτο Μέρος

Ταμίας Παρακαλώ, ο επόμενος.

Κύριος Θα ήθελα να κάνω μια ανάληψη. Ορίστε το βιβλιάριό μου.

Ταμίας Μου δίνετε και την ταυτότητά σας, παρακαλώ;

Κύριος Βεβαίως. Ένα λεπτό. Ορίστε.

Ταμίας Είστε ο κύριος Πέτρος Αβραμίδης.

Κύριος Ναι, ναι, ο ίδιος. Αλλά η φωτογραφία είναι παλιά.

Ταμίας Κανένα πρόβλημα. Πόσα χρήματα θέλετε να πάρετε;

Κύριος Εννιακόσια ευρώ.

Ταμίας Μάλιστα. Υπογράψτε, παρακαλώ.

Κύριος Συγνώμη, πού ακριβώς πρέπει να υπογράψω; Βλέπετε, ξέχασα τα γυαλιά μου, και...

Ταμίας Να, εδώ. Εντάξει. Ορίστε τα εννιακόσια ευρώ

Διάλογοι και κείμενα

Κύριος Ωραία. Θα ήθελα επίσης να μεταφέρω εξακόσια ευρώ στον λογαριασμό του γιου μου, που σπουδάζει στη Θεσσαλονίκη. Ο αριθμός είναι 007 157 55893.

Ταμίας 007 157 55893. Δημήτριος Αβραμίδης;

Κύριος Ακριβώς.

Ταμίας Πόσα χρήματα είπατε πως θέλετε να βάλετε στον λογαριασμό του;

Κύριος 600 ευρώ. Πείτε μου όμως, πότε θα είναι εκεί τα λεφτά;

Ταμίας Από αυτή τη στιγμή είναι στον λογαριασμό του. Τίποτ' άλλο;

Κύριος Όχι, ευχαριστώ πολύ. Καλή σας μέρα.

Δεύτερο Μέρος

Ταμίας Ελάτε.

Κυρία Καλημέρα. Θέλω να εξαργυρώσω αυτή την επιταγή. Ορίστε κι η ταυτότητά μου.

Ταμίας Απ' ό,τι βλέπω εδώ, η επιταγή σας έχει κάποιο πρόβλημα.

Κυρία Πρόβλημα; Τι πρόβλημα; Δεν καταλαβαίνω. Μόλις μου την έδωσε το λογιστήριο.

Ταμίας Δεν υπάρχουν αρκετά χρήματα σ' αυτό τον λογαριασμό. Λυπάμαι, κυρία μου.

Κυρία Μα δεν είναι δυνατόν. Κάθε μήνα εξαργυρώνω εδώ την επιταγή που παίρνω από τη δουλειά μου. Πρώτη φορά υπάρχει πρόβλημα.

Ταμίας Σας είπα, λυπάμαι αλλά δεν μπορώ να σας βοηθήσω. Αν θέλετε, πηγαίνετε να δείτε τον διευθυντή. Το γραφείο του είναι εκεί απέναντι.

Τρίτο Μέρος

Ταμίας Παρακαλώ.

Φιλίπ Καλημέρα σας. Μου λέτε ποια είναι η τιμή του δολαρίου σήμερα;

Ταμίας Μια στιγμή, παρακαλώ... Είναι 1 ευρώ και 28 λεπτά.

Φιλίπ Α, μάλιστα. Θα ήθελα να αλλάξω 850 δολάρια.

Ταμίας Βεβαίως. Το διαβατήριό σας, παρακαλώ.

Φιλίπ Μια στιγμή. Ορίστε.

Ταμίας Το όνομα είναι Βαφιέ, Φιλίπ Βαφιέ;

Φιλίπ Φαβιέ, Φιλίπ Φαβιέ.

Ταμίας Μάλιστα. Βάλτε μου μια υπογραφή εδώ. Ωραία. Ορίστε τα χρήματά σας και η απόδειξή σας.

Φιλίπ Ευχαριστώ πολύ. Χαίρετε.

Ταμίας ...Κύριε, ξεχάσατε το διαβατήριό σας.

3 Και πόσο κοστίζει;

Υπάλληλος Καλημέρα σας. Μπορώ να σας βοηθήσω;
Πελάτης Καλημέρα. Ενδιαφέρομαι για μια τηλεόραση.
Υπάλληλος Βεβαίως. Κάποιο συγκεκριμένο μοντέλο;
Πελάτης Όχι ακριβώς. Μπορώ να ρίξω μια ματιά;
Υπάλληλος Φυσικά. Ελάτε μαζί μου. Εδώ είναι όλες οι τηλεοράσεις που έχου-
με. Ρίξτε εσείς μια ματιά να τελειώσω με την κυρία, και σ' ένα
λεπτάκι θα είμαι μαζί σας.

. . . .

Υπάλληλος Λοιπόν, είμαι στη διάθεσή σας.
Πελάτης Μμ, νομίζω πως αυτή εδώ μ' αρέσει.
Υπάλληλος Α, είναι πολύ καλή τηλεόραση. Είναι το τελευταίο μοντέλο τής
SONY. Υπάρχει σε 17, 26 και 32 ίντσες, είναι ψηφιακή κι έχει
οθόνη LCD.
Πελάτης Μ' ενδιαφέρει να έχει μεγάλη οθόνη.
Υπάλληλος Πόσα τετραγωνικά μέτρα είναι το δωμάτιο που θα τη βάλετε;
Πελάτης Πρέπει να είναι γύρω στα 45.
Υπάλληλος Α, τότε είναι καλύτερα να πάρετε το μοντέλο των 32 ιντσών.
Πελάτης Και πόσο κοστίζει;
Υπάλληλος Χίλια διακόσια ευρώ.
Πελάτης Μμ, δεν μπορείτε να μου κάνετε μια καλύτερη τιμή;
Υπάλληλος Κοιτάξτε, αν πληρώσετε τοις μετρητοίς, θα έχετε έκπτωση 15% ,
αλλά αν πληρώσετε με πιστωτική κάρτα, δυστυχώς δεν μπορούμε
να κόψουμε τίποτα.
Πελάτης Πολύ καλά, θα πληρώσω μετρητά, τότε. Γίνεται όμως να
μου τη φέρετε στο σπίτι;
Υπάλληλος Φυσικά. Πέστε μου, παρακαλώ, όνομα και διεύθυνση.
Πελάτης Κώστας Νικολάου, Αρχιμήδους 90, στο Παγκράτι. Το κουδούνι
γράφει Νικολάου. Είμαστε στον τρίτο όροφο.
Υπάλληλος Νικολάου, Αρχιμήδους 90, Παγκράτι. Τρίτος όροφος.
Ένα τηλέφωνο;
Πελάτης 210 69 29 178.
Υπάλληλος 210 69 29 178. Πολύ καλά, κύριε Νικολάου, η τηλεόραση θα είναι
στο σπίτι σας μεταξύ πέντε και επτά αύριο το απόγευμα. Θα
θέλατε τίποτ' άλλο;
Πελάτης Όχι, ευχαριστώ. Πού θα πληρώσω;
Υπάλληλος Ελάτε μαζί μου.

Διάλογοι και κείμενα

4 Σύντομες ειδήσεις των έξι

Κυρίες και κύριοι, καλησπέρα σας. Είναι οι σύντομες ειδήσεις των έξι από τον ALPHA.

Αεροπορική τραγωδία στον Ατλαντικό. Αεροπλάνο έπεσε ογδόντα χιλιόμετρα ανατολικά της Νέας Υόρκης. Ελικόπτερα και πλοία προσπαθούν να βρουν τους επιβάτες και τα μέλη του πληρώματος. Οι δυνατοί άνεμοι όμως στην περιοχή δυσκολεύουν το έργο τους.

Αύξηση 2,5% στους μισθούς των δημοσίων υπαλλήλων. Οι χαμηλές αυξήσεις δημιουργούν προβλήματα στις σχέσεις κυβέρνησης και εργαζομένων, οι οποίοι ετοιμάζονται να απαντήσουν με γενική απεργία την επόμενη Πέμπτη

Νέο σύστημα εξετάσεων για την είσοδο των μαθητών στα πανεπιστήμια της χώρας. Καθηγητές και μαθητές δε συμφωνούν με τη νέα πρόταση της κυβέρνησης και ζητούν συνάντηση με την υπουργό.

Μεγάλη κακοκαιρία στη γειτονική Ιταλία. Βροχές, χιόνια και πολύ χαμηλές, για την εποχή, θερμοκρασίες δημιουργούν μεγάλα προβλήματα σε πόλεις και χωριά της νότιας Ιταλίας. Σύμφωνα με την Εθνική Μετεωρολογική Υπηρεσία, τα φαινόμενα αυτά πολύ γρήγορα θα φτάσουν και στην Ελλάδα.

Μεγάλη νίκη του Ολυμπιακού κατά του Παναθηναϊκού με 3-1 σήμερα το απόγευμα στο γήπεδο Καραϊσκάκη. Τριάντα χιλιάδες φίλαθλοι παρακολούθησαν τον αγώνα. Οι φίλοι του Ολυμπιακού γιόρτασαν τη νίκη της ομάδας τους στο λιμάνι του Πειραιά.

Περισσότερες ειδήσεις και ζωντανά ρεπορτάζ στο δελτίο των εννέα με την Αθηνά Γεωργιάδη.

5 Θα βγούμε στις οκτώμισι

Βασίλης Τι δουλειά είναι αυτή πάλι σήμερα! Πότε θα τα γράψουμε όλα αυτά τα γράμματα για τους πελάτες;

Δημήτρης Έλα, ρε Βασίλη. Έτσι δεν είναι κάθε μέρα στο γραφείο; Από δουλειά άλλο τίποτα. Αν έχουμε άγχος, και χειρότερα θα είναι, και δε θα τελειώσουμε ποτέ.

Βασίλης Το ξέρω, αλλά σήμερα βιάζομαι. Πρέπει να είμαι στο σπίτι γύρω στις επτά.

Δημήτρης Μήπως έχεις ραντεβού με την Έλλη πάλι;

Βασίλης Ακριβώς, και μην κάνεις πλάκα. Θα βγούμε στις οχτώμισι.

Δημήτρης Ε, και τι έγινε, δηλαδή, αν βγείτε στις δέκα;

Βασίλης   Α, δε γίνεται. Θα πάμε στο θέατρο να δούμε μια ροκ όπερα , κι
η παράσταση αρχίζει στις εννιά. Έχω βγάλει και τα εισιτήρια. Ορίστε.

Δημήτρης   Μπα! Πολύ ωραία! Γιορτάζετε τίποτα;

Βασίλης   Είναι τα γενέθλιά της. Δεν ξέρει τίποτα ούτε για το θέατρο ούτε για
το φαγητό μετά την παράσταση.

Δημήτρης   Μπράβο! Χρόνια πολλά! Σας ζηλεύω λίγο. Εγώ, βλέπεις, δεν έχω
και πολλή τύχη με τις γυναίκες τον τελευταίο καιρό. Μόλις βρω
κάποια, κάτι γίνεται και χωρίζουμε.

Βασίλης   Ε, τότε να σου γνωρίσω καμιά φίλη της Έλλης, μπορεί ν' αλλάξει η
τύχη σου. Αμάν, καλά που το θυμήθηκα! Πρέπει να τηλεφωνήσω
στο εστιατόριο να κλείσω τραπέζι.

. . . .

Υπάλληλος   "Νησιά", λέγετε παρακαλώ.

Βασίλης   Καλησπέρα σας. Θα ήθελα να κλείσω ένα τραπέζι για σήμερα το
βράδυ στις έντεκα και μισή στο όνομα Μαρινάκης.

Υπάλληλος   Μισό λεπτό. Πόσα άτομα θα είστε;

Βασίλης   Δύο, και παρακαλώ, αν είναι δυνατόν, το τραπέζι να είναι κοντά
στο παράθυρο.

Υπάλληλος   Νομίζω πως δεν θα υπάρχει κανένα πρόβλημα. Σας παρακαλώ
μόνο να είστε εδώ μέχρι τις δώδεκα το αργότερο. Μπορείτε να·μου
δώσετε κι ένα τηλέφωνο;

Βασίλης   Ναι, ναι βεβαίως. 6932 964712.

Υπάλληλος   Ευχαριστώ.

Βασίλης   Κι εγώ σας ευχαριστώ.

. . . .

Βασίλης   Λοιπόν όλα εντάξει. Ελπίζω να της αρέσει. Είναι η πρώτη φορά που
την πηγαίνω εκεί και...

Δημήτρης   Πολύ ρομαντικά όλα αυτά, αλλά αν δεν αρχίσουμε τη δουλειά τώρα
αμέσως, δε βλέπω να τελειώνεις πριν τα μεσάνυχτα.

6 Βόλτα στην Αθήνα

Κώστας   Ελάτε παιδιά, έτοιμο το πρωινό. Επιτέλους, αφήσατε την
Αλεξανδρούπολη και ήρθατε και στην Αθήνα.

Πέτρος   Ε, σου τό 'χαμε πει πως θα ερχόμασταν. Πάντως, αυτό που δε
θέλουμε είναι ν' αλλάξεις το πρόγραμμά σου για μας.

Κώστας   Έτσι κι αλλιώς δε θα μπορούσα. Έχουμε πολλή δουλειά στο
γραφείο αυτές τις μέρες. Ανησυχώ όμως, γιατί δεν ξέρετε την
Αθήνα και φοβάμαι μη χαθείτε.

Αλέκα   Έλα, τώρα, βρε συ Κώστα, μικρά παιδιά είμαστε; Θα ρωτήσουμε
και θα βρούμε τον δρόμο μας. Μην ξεχνάς πως έχουμε και τον
χάρτη μαζί μας.

Κώστας	Σωστά. Τελειώνουμε το καφεδάκι μας και αρχίζετε τις βόλτες σας. Για πείτε μου, τι λέει το πρόγραμμά σας;
Αλέκα	Λοιπόν, θέλουμε να δούμε οπωσδήποτε την Εθνική Πινακοθήκη, το Μουσείο Μπενάκη και το Αρχαιολογικό Μουσείο.
Κώστας	Όλα αυτά σήμερα; Θα έχετε αρκετό χρόνο;
Πέτρος	Κοίτα, θ' αρχίσουμε με την Εθνική Πινακοθήκη και βλέπουμε.
Κώστας	Λοιπόν, η Πινακοθήκη είναι δίπλα στο Χίλτον, στην οδό Βασιλέως Κωνσταντίνου. Από 'κεί το Μουσείο Μπενάκη είναι δυο βήματα. Θα πάτε με τα πόδια. Θα το βρείτε και στον χάρτη.
Αλέκα	Το έχουμε ήδη βρει, μην ανησυχείς. Πες μας μόνο πώς θα πάμε από 'κεί στο Αρχαιολογικό Μουσείο. Είναι στην Πατησίων, έτσι δεν είναι;
Κώστας	Μπράβο, Αλέκα! Εσύ τα ξέρεις όλα. Δε νομίζω πως με χρειάζεστε. Αν έχετε όρεξη και κουράγιο, μπορείτε να πάτε με τα πόδια. Λοιπόν, θα πάρετε τη Βασιλίσσης Σοφίας μέχρι το Σύνταγμα και μετά την Πανεπιστημίου. Όταν φτάσετε στην Ομόνοια, θα δείτε την Πατησίων στα δεξιά σας. Το Μουσείο είναι περίπου 500 μέτρα από εκεί. Αν πάλι είστε κουρασμένοι, πάρτε ένα τρόλεϊ ή ένα λεωφορείο και θα είστε εκεί σε 15 λεπτά.
Πέτρος	Θαυμάσια. Σήμερα λοιπόν θα είναι η μέρα των μουσείων. Αύριο θα πάμε να δούμε την Πύλη του Αδριανού, το Ηρώδειο, την Ακρόπολη και την Αρχαία Αγορά.
Κώστας	Μωρέ μπράβο! Θαυμάζω το κουράγιο σας! Θέλετε να τα δείτε όλα σε δυο μέρες! Αφήστε τουλάχιστον την Ακρόπολη για το σαββατοκύριακο. Θα πάμε μαζί.
Αλέκα	Έγινε.
Κώστας	Λοιπόν, πρέπει να φύγω τώρα, το αφεντικό θα φωνάζει πάλι αν αργήσω. Το κινητό μου τό 'χετε, κλειδιά έχετε, αν χρειαστείτε κάτι, με παίρνετε. Να περάσετε καλά. Τα λέμε αργότερα.
Πέτρος	Εντάξει, Κώστα μου, θα τα πούμε το απόγευμα.

7 Θα τηλεφωνήσουμε στον δήμαρχο

Αγαπητοί μου φίλοι. Ας διαβάσουμε το γράμμα ενός φίλου της εκπομπής μας που πήραμε σήμερα το πρωί. Ο κύριος Ηλίας Χρήστου μας γράφει για ένα πρόβλημα που υπάρχει στη γειτονιά του:

Προς την εκπομπή ''Καλημέρα Αθήνα''.

Ακούω την εκπομπή σας κάθε μέρα, πολλά χρόνια τώρα, και μου αρέσουν όλα αυτά που λέτε για το καλό των κατοίκων της Αθήνας. Ελπίζω αυτή τη φορά να ακούσετε κι εσείς εμένα.

Μένω σ' ένα τετράγωνο που βρίσκεται στη λεωφόρο Λιοσίων κι, όπως καταλαβαίνετε, η κίνηση εδώ είναι πολύ μεγάλη. Δεν μπορώ να σας πω τι φασαρία γίνεται καθημερινά. Αυτοκίνητα, μηχανάκια, λεωφορεία και, βεβαίως, πολύ νέφος. Καταλαβαίνω, φυσικά, πως μένοντας σε μια μεγάλη πόλη πρέπει να μάθουμε να ζούμε μ' όλα αυτά. Θα πρέπει όμως να κρατήσουμε και τα λίγα πάρκα που υπάρχουν. Ευτυχώς εμείς έχουμε ένα όμορφο πάρκο με πολλά και μεγάλα πράσινα δέντρα στην περιοχή μας, κι έτσι, οι μεγαλύτεροι τουλάχιστον άνθρωποι της γειτονιάς, πηγαίνουν εκεί για να βρούνε λίγη ησυχία. Το πάρκο αυτό επίσης είναι το μόνο μέρος όπου μπορούν να παίξουν τα παιδιά χωρίς κίνδυνο.

Δυστυχώς, όμως, ο δήμαρχος θέλει να κάνει ένα γκαράζ στο μέρος αυτό, αν και υπάρχει ήδη ένα 500 μέτρα παρακάτω, με αποτέλεσμα να κινδυνεύουμε να χάσουμε τον μικρό μας παράδεισο. Έχουμε στείλει πολλά γράμματα μα κανείς δεν μας ακούει. Αλήθεια δεν ξέρω τι άλλο μας μένει να κάνουμε. Ελπίζω ότι διαβάζοντας το γράμμα μου στην εκπομπή σας, κι άλλοι κάτοικοι της περιοχής θα μάθουν τι ακριβώς γίνεται, και ίσως όλοι μαζί μπορέσουμε να βρούμε κάποια λύση.

Σας ευχαριστώ πολύ,

Ηλίας Χρήστου

Κύριε Χρήστου, η εκπομπή μας, όπως ξέρετε, πάντα ενδιαφέρεται για τα προβλήματα που έχουν οι άνθρωποι αυτής της μεγάλης πόλης. Θα τηλεφωνήσουμε στον δήμαρχο, σήμερα κιόλας, και θ' ακούσουμε τι έχει να μας πει. Να είστε σίγουρος πως το "Καλημέρα Αθήνα" είναι πάντα εδώ και έτοιμο να κάνει ό,τι μπορεί.

Ας ακούσουμε τώρα ένα τραγούδι...

8 Φίλοι για πάντα

Δημοσιογράφος	Καλησπέρα, κυρίες και κύριοι. Όπως κάθε Δευτέρα στις εφτά, έτσι και σήμερα είμαστε κοντά σας. Στην εκπομπή "Κάθε Δευτέρα μαζί", είναι καλεσμένη η πρόεδρος της ελληνικής φιλοζωικής εταιρείας "Οι φίλοι μας", κυρία Ιουλία Παυλίδη. Κυρία Παυλίδη, καλώς ήρθατε.
Κυρία Παυλίδη	Καλησπέρα, κυρία Αναστασίου.
Δημοσιογράφος	Κυρία Παυλίδη, πείτε μας παρακαλώ, πρώτον, πότε άρχισε να λειτουργεί η φιλοζωική εταιρεία, δεύτερον, πόσα είναι τα μέλη σας, και τρίτον, ποια είναι τα θέματα που σας απασχολούν.
Κυρία Παυλίδη	Ε... η εταιρεία μας, κυρία Αναστασίου, άρχισε να λειτουργεί τον Μάιο του '93. Τα κεντρικά μας γραφεία βρίσκονται στο

Κολωνάκι, στην οδό Λουκιανού 209. Όλα αυτά τα χρόνια, σιγά-σιγά η οργάνωσή μας έχει φέρει κοντά της πάρα πολλούς ανθρώπους. Οι περισσότεροι μάλιστα είναι νέοι. Τα μέλη μας αυτή τη στιγμή είναι γύρω στα 1200, και κάποια από αυτά δουλεύουν για την εταιρεία στα γραφεία μας ή στη φάρμα μας, που βρίσκεται στη λεωφόρο Αγράμπελης, στα Σπάτα. Όπως καταλαβαίνετε, κανένας από μας δεν πληρώνεται. Προσπαθούμε να βοηθήσουμε, όσο καλύτερα μπορούμε, τα ζώα που δεν έχουν την τύχη να μένουν σ' ένα σπίτι. Πιστεύουμε πως ο καθένας μπορεί να βοηθήσει δίνοντας λίγο από το χρόνο του ή λίγα χρήματα. Αν λοιπόν κάποιος θέλει να έρθει κοντά μας και να βοηθήσει τους σκύλους και τις γάτες που δεν έχουν σπίτι ή δεν είναι καλά, μπορεί να μας τηλεφωνήσει στο 210 7015241 ή να μας στείλει φαξ στο 210 7078651. Επίσης, μπορεί να περάσει από τα γραφεία μας στη διεύθυνση που σας έδωσα νωρίτερα, Λουκιανού 209 ή να μας γράψει στην ηλεκτρονική μας διεύθυνση info@filozoiki.gr

Δημοσιογράφος Πολύ σωστά. Μιλήστε μας τώρα, κυρία Παυλίδη, και για τον μικρό φίλο που φέρατε μαζί σας.

Κυρία Παυλίδη Λοιπόν, ο μικρός σκύλος που έφερα μαζί μου σήμερα είναι μόλις 6 μηνών. Είναι πολύ καθαρός και ήσυχος. Βρέθηκε πριν από ένα μήνα περίπου, μόνος και πολύ άρρωστος, σ' ένα δρόμο κοντά στον Μαραθώνα. Τώρα είναι μια χαρά. Του δώσαμε το όνομα Δαρείος. Ο Δαρείος λοιπόν, χρειάζεται ένα σπίτι και μια οικογένεια που θα τον αγαπήσει και θα του δώσει τη φροντίδα που του έλειψε. Αν κάποιος θέλει να τον δει από κοντά, μπορεί να περάσει από τα γραφεία μας, να μας τηλεφωνήσει ή να μας γράψει, κι εμείς θα φροντίσουμε να τον γνωρίσει.

Δημοσιογράφος Κυρία Παυλίδη, σας ευχαριστώ πολύ που ήρθατε απόψε στην εκπομπή μας. Ελπίζουμε όλα να πάνε καλά για την εταιρεία σας και τους μικρούς μας φίλους.

Κυρία Παυλίδη Κι εγώ σας ευχαριστώ που με καλέσατε, και θα ήθελα να παρακαλέσω τους τηλεθεατές να μην ξεχνάνε τη χαρά και την αγάπη που δίνουν σε μας και στην οικογένειά μας τα ζώα.

Δημοσιογράφος Εσείς, κυρίες και κύριοι, μείνετε μαζί μας, γιατί αμέσως μετά τις διαφημίσεις θα παρακολουθήσουμε ένα θέμα που μας ενδιαφέρει όλους. Σε λίγα λεπτά και πάλι μαζί...

9 Καλώς ήρθατε στο Μουσείο

Καθηγητής   Παιδιά, όλοι εδώ; Λοιπόν, πριν μπούμε, δυο λόγια για τον Γιάννη Τσαρούχη.
Γεννήθηκε στον Πειραιά το 1909 και πέθανε στην Αθήνα το 1989. Σπούδασε ζωγραφική στην Αθήνα, στη Σχολή Καλών Τεχνών. Παρουσίασε έργα του σε πολλές εκθέσεις στην Ελλάδα και στο εξωτερικό. Ο Τσαρούχης δεν ήταν μόνο ζωγράφος. Ασχολήθηκε, με μεγάλη επιτυχία, με τη σκηνογραφία και τον σχεδιασμό κοστουμιών για το θέατρο. Συνεργάσθηκε με το Εθνικό Θέατρο αλλά και με το Θέατρο Τέχνης.
Δημητρίου, μη μιλάς! Με ακούτε όλοι; Συνεχίζω.
Έκανε τα σκηνικά για την παράσταση της Μήδειας στην Όπερα του Ντάλας το 1958, στην οποία τραγούδησε η διάσημη Ελληνίδα σοπράνο Μαρία Κάλλας. Επίσης έκανε σκηνικά για παραστάσεις στο Κόβεντ Γκάρντεν του Λονδίνου και στη Σκάλα του Μιλάνου. Εικονογράφησε βιβλία του Σεφέρη και του Ελύτη. Επίσης έγραψε βιβλία και ο ίδιος. Τα θέματα της ζωγραφικής του καθώς και τα χρώματά του είναι απολύτως ελληνικά. Θεωρείται ένας από τους καλύτερους νεοέλληνες ζωγράφους.
Σας θυμίζω: δεν πληρώνουμε είσοδο, γιατί είμαστε σχολείο, και ακούμε προσεχτικά τι θα μας πει η κυρία Γαζή. Δε φωνάζουμε, δεν πιάνουμε τίποτα και, βεβαίως, δεν καπνίζουμε.
Σύμφωνοι; Πάμε.

· · · · · · · · · ·

κ. Γαζή   Καλημέρα σας. Καλώς ήρθατε στο Μουσείο Γιάννη Τσαρούχη.
Καθηγητής   Καλημέρα σας.
κ. Γαζή   Εδώ ήταν το σπίτι του Γιάννη Τσαρούχη. Άρχισε να λειτουργεί ως μουσείο το 1981. Ο Τσαρούχης έμενε εδώ και παράλληλα χρησι μοποιούσε ένα μέρος του σπιτιού για να δείχνει τα έργα του και να κάνει τις εκθέσεις του. Αυτό μέχρι το 1989, τη χρονιά που έφυγε πια από κοντά μας. Πολλοί άνθρωποι, όμως, είχαν
την τύχη να δουν και να γνωρίσουν από κοντά τον καλλιτέχνη μέσα στον χώρο της δουλειάς του. Από το 1981 ως το 1989 ήταν ο ίδιος πρόεδρος του Μουσείου. Μετά τον θάνατό του και μέχρι το 1992, το Μουσείο έμεινε κλειστό. Τα τρία αυτά χρόνια μαζέψαμε όσα έργα του μπορέσαμε, και το Μουσείο άνοιξε και πάλι τις πόρτες του στους ανθρώπους που αγαπάνε την τέχνη. Είναι ανοιχτό από Τετάρτη έως και Κυριακή, από τις εννέα μέχρι τις δύο.
Στους δύο ορόφους του Μουσείου θα βρείτε πολλά και γνωστά έργα του και θα καταλάβετε την αγάπη του για την Ελλά-δα και τα χρώματά της. Ο Τσαρούχης βέβαια δεν ήταν μόνο

ζωγράφος. Ήταν επίσης σκηνογράφος, ενδυματολόγος και συγγραφέας. Αν θέλετε, μπορείτε να αγοράσετε αφίσες των έργων του αλλά και βιβλία για τη ζωή του από το πωλητήριο του Μουσείου. Υπάρχει και μια πολύ όμορφη σειρά με κάρτες που δείχνουν πίνακές του. Αυτά από μένα.

Καθηγητής   Σας ευχαριστούμε πολύ για τις πληροφορίες που μας δώσατε. Θα δούμε το Μουσείο, και θα τα πούμε αργότερα.

10 Τα Ραγκουτσάρια

Παρουσιαστής   Κυρίες και κύριοι, καλησπέρα σας. Σας καλωσορίζω στο Πολιτιστικό Κέντρο του Δήμου Καισαριανής. Οι περισσότεροι από σας ήδη γνωρίζετε πως είναι η δεύτερη χρονιά που το κέντρο μας παρουσιάζει έθιμα και παραδόσεις μικρών και μεγάλων πόλεων της Ελλάδας. Κάθε δεκαπέντε μέρες ένας ομιλητής, συνήθως καθηγητής κάποιου ελληνικού πανεπιστη-μίου, μας μιλάει για μια περιοχή και τις συνήθειές της. Σήμερα μαζί μας είναι η καθηγήτρια της λαογραφίας στο Πανεπιστήμιο της Κρήτης, κυρία Χριστίνα Οικονομάκη για να μας μιλήσει για το καρναβάλι της Καστοριάς. Κυρία Οικονομάκη...

κ. Οικονομάκη   Καλησπέρα κι από εμένα. Θα σας πω απόψε δύο λόγια για ένα από τα πιο παλιά ελληνικά καρναβάλια. Εδώ και αιώνες, η Καστοριά έχει βρει τον δικό της τρόπο να φέρνει την άνοιξη μέσα στην καρδιά του χειμώνα. Το καρναβάλι της Καστοριάς, τα Ραγκουτσάρια, όπως είναι γνωστό, έχει τη σημερινή του μορφή από τα πρώτα βυζαντινά χρόνια. Η Καστοριά ήτανε μία πολύ σημαντική βυζαντινή πόλη. Το εμπόριο και οι τέχνες την έκαναν γνωστή σε ολόκληρη τη βυζαντινή αυτοκρατορία. Ακόμα και σήμερα το καταλαβαίνει κανείς αυτό κάνοντας μια βόλτα στην πόλη, που έχει περισσότερες από 70 βυζαντινές εκκλησίες. Από εκείνη την εποχή, οι κάτοικοι γιόρταζαν με τρα-γούδια και χορούς ένα καρναβάλι, που δεν είχε καμία σχέση με τον Χριστιανισμό αλλά με τη λατρεία του θεού Διονύσου. Μικροί και μεγάλοι, άντρες και γυναίκες, με μάσκες και κοστού-μια, χορεύουν και τραγουδούν με τις ώρες. Δεκάδες μικρές μπάντες παίζουν σε όλους τους δρόμους και τις πλατείες της πόλης. Κλαρίνα, τρομπέτες, νταούλια και τρομπόνια δίνουν ρυθμό σε μια πόλη που δεν κοιμάται για τρεις μέρες και τρεις νύχτες.
Τα Ραγκουτσάρια αρχίζουν στις 6 Ιανουαρίου, την ημέρα των Φώτων, και τελειώνουν στις 8 Ιανουαρίου με την μεγάλη παρέλαση των καρνάβαλων. Για τρία μερόνυχτα η Καστοριά

και οι κάτοικοί της ξεχνάνε τα προβλήματα και τη ρουτίνα όλου του χρόνου, και αφήνουν τη μουσική και το κέφι να τους πάει μακριά. Θα έλεγα, ότι την εποχή του καρναβαλιού της, η Καστοριά είναι το πιο όμορφο μέρος της Ελλάδας. Ελπίζω όλοι σας να επισκεφθείτε και να χαρείτε αυτό το μοναδικό καρναβάλι.

Παρουσιαστής Σας ευχαριστούμε, κυρία Οικονομάκη, κι ελπίζω να σας έχουμε σύντομα πάλι κοντά μας, για να μας μιλήσετε για κάποιο άλλο ενδιαφέρον λαογραφικό θέμα.

Για όσους ενδιαφέρονται, υπάρχουν πολλές φωτογραφίες από την πόλη και το γλέντι που γίνεται εκεί κάθε χρόνο. Αν θέλετε, μπορείτε να ρίξετε μια ματιά. Κι αν πάλι αποφασίσετε να επισκεφτείτε την Καστοριά την εποχή του καρναβαλιού, μην ξεχάσετε να κλείσετε δωμάτιο σε κάποιο ξενοδοχείο της πόλης πολύ καιρό πριν. Κι όταν πάτε, θα πρέπει να κάνετε μια βόλτα με το πλοίο στην πανέμορφη λίμνη της. Καλό σας βράδυ.

11 Αγαπάω πολύ τη δουλειά μου

Δημοσιογράφος Καλησπέρα σας. Απόψε κοντά μας έχουμε τον γνωστό σκηνοθέτη Δημήτρη Παντελίδη. Θα μας μιλήσει για το καινούργιο θεατρικό έργο που ετοίμασε φέτος και που παίζεται με μεγάλη επιτυχία στο Θέατρο Βάκχος.
Κύριε Παντελίδη, καλησπέρα σας. Καλώς ήρθατε στην εκπομπή μας.

Δ. Παντελίδης Καλησπέρα σας, κύριε Συμεωνίδη, και σας ευχαριστώ πολύ που με καλέσατε.

Δημοσιογράφος Μιλήστε μας λίγο για την καινούργια σας θεατρική δουλειά.

Δ. Παντελίδης Το έργο που σκηνοθέτησα και που παίζεται ήδη για τρίτη εβδομάδα στο Θέατρο Βάκχος είναι "Το θρίλερ του έρωτα" του Γιώργου Σκούρτη. Όλη η ιστορία βασίζεται σε δύο πρόσωπα, ένα παντρεμένο ζευγάρι. Ο άντρας είναι δικηγόρος και η γυναίκα νοικοκυρά. Ζουν μια ήσυχη ζωή μέχρι τη στιγμή που ο σύζυγος-δικηγόρος παίρνει μια καινούργια υπόθεση. Μέσα από αυτή την υπόθεση, οι δύο ήρωες σιγά-σιγά καταλαβαίνουν πως η σχέση τους δεν ήταν παρά ένα μεγάλο ψέμα. Το έργο δίνει την ευκαιρία στους θεατές να σκεφτούν και να καταλάβουν πολλά. Οι διάλογοι είναι έξυπνοι και μοντέρνοι, έχουν πολύ χιούμορ, σαρκασμό και ειρωνεία. Την ατμόσφαιρα βοηθάει πολύ το ρεαλιστικό σκηνικό. Όπως ξέρετε,

	βέβαια,το Θέατρο Βάκχος είναι ένας μικρός και ζεστός χώρος. Οι θεατές είναι τόσο κοντά στη σκηνή, που σχεδόν γίνονται μέρος της παράστασης.
Δημοσιογράφος	Κι εγώ που είδα την παράσταση κύριε Παντελίδη, πιστεύω πως είναι μια πολύ καλή δουλειά. Ακούω πως ο κόσμος μένει πολύ ικανοποιημένος.
Δ. Παντελίδης	Έτσι πιστεύουμε κι εμείς.
Δημοσιογράφος	Και μέχρι πότε θα παίζεται το έργο;
Δ. Παντελίδης	Μέχρι το τέλος Απριλίου. Μετά το θέατρο κλείνει.
Δημοσιογράφος	Ποια είναι τα σχέδιά σας για το καλοκαίρι;
Δ. Παντελίδης	Μμ, είναι πολλά. Ετοιμάζουμε μια εβδομαδιαία σειρά για την τηλεόραση, την οποία θα δείτε από τον επόμενο Οκτώβριο. Δε θα σας πω ακόμα τον τίτλο της ούτε τα ονόματα των ηθοποιών, αλλά πιστεύω ότι όλα θα πάνε καλά, γιατί όλοι δουλεύουμε με πολύ κέφι και το σενάριο είναι πολύ ενδιαφέρον. Επί σης τον Ιούλιο θα συνεργαστώ με το Ανοιχτό Θέατρο στα Μέγαρα. Εκεί θα ανεβάσουμε ένα έργο του Μολιέρου για λίγες μόνο παραστάσεις.
Δημοσιογράφος	Συγχαρητήρια! Τα τελευταία χρόνια οι επιτυχίες σας ακολουθούν η μία την άλλη.
Δ. Παντελίδης	Είναι αλήθεια ότι τα πήγαμε αρκετά καλά. Ίσως το μυστικό είναι ότι αγαπάω πολύ τη δουλειά μου.
Δημοσιογράφος	Λοιπόν, κυρίες και κύριοι, αν θέλετε να δείτε το "Θρίλερ του έρωτα", σας θυμίζω ότι θα παίζεται μέχρι τις 30 Απριλίου στο Θέατρο Βάκχος, στην οδό Σαρρή 53. Το τηλέφωνο είναι 210 3300879. Από μας, καλή σας νύχτα και ραντεβού την άλλη Πέμπτη στις οχτώ το βράδυ.

12 Ανοιξιάτικο σαββατοκύριακο στη Μάνη

Αγαπητοί φίλοι της εκπομπής, γεια σας.

Συνεπείς στο ραντεβού μας, όπως κάθε Πέμπτη μεσημέρι μία με δύο, είμαστε ξανά κοντά σας, με τις δικές μας προτάσεις για το πώς και το πού μπορείτε να περάσετε το σαββατοκύριακό σας, έξω από την πόλη και κοντά στη φύση.

Η σημερινή μας πρόταση είναι μια εκδρομή στην Πελοπόννησο, στον Μυστρά και στη Μάνη.

Θα πρέπει να ξεκινήσετε από την Αθήνα γύρω στις οκτώ και μισή το πρωί. Θα πάρετε την εθνική οδό Αθήνας Κορίνθου και θα είστε στον Ισθμό, ανάλογα με την κίνηση, μετά από μία ώρα περίπου. Στη συνέχεια θα ακολουθήσετε τον δρόμο για Τρίπολη, που είναι κι αυτός αυτοκινητόδρομος, και θα φτάσετε στη Σπάρτη, που απέχει 120 χιλιόμετρα από την Κόρινθο, χωρίς κανένα πρόβλημα σε περίπου μιάμιση ώρα. Μόλις μπείτε στη Σπάρτη, ακολουθήστε τον δρόμο για τον Μυστρά, που απέχει 6 χιλιόμετρα από την είσοδο της πόλης. Ο Μυστράς είναι μια βυζαντινή πόλη που χτίστηκε τον 14ο αιώνα. Έχει πολλές βυζαντινές εκκλησίες με θαυμάσιες τοιχογραφίες. Θα χρειαστείτε δύο ώρες περίπου για να κάνετε μια βόλτα σ' αυτόν τον μαγευτικό χώρο. Κάτι που θα πρέπει να ξέρετε είναι πως η είσοδος στον Μυστρά επιτρέπεται ως τις δύο το μεσημέρι.

Όταν τελειώσετε, συνεχίστε για Γύθειο, που βρίσκεται 46 χιλιόμετρα νότια της Σπάρτης. Το Γύθειο είναι μια όμορφη πόλη δίπλα στη θάλασσα με καταπληκτική θέα. Μπορείτε να φάτε σε μια από τις πολλές ψαροταβέρνες της. Μετά το φαγητό σας μπορείτε να επισκεφθείτε το νησί Κρανάη ή Μαραθονήσι, όπως λέγεται διαφορετικά. Ο μύθος λέει ότι εδώ πέρασε μια νύχτα ο Πάρις με την Ωραία Ελένη. Στο νησί θα δείτε και τον πύργο του Τζανετάκη.

Το βράδυ μπορείτε να μείνετε στο Γύθειο, ή σε κάποια άλλη πόλη της περιοχής, όπως η Αρεόπολη, το Λιμένι, το Οίτυλο, όπου θα βρείτε αρκετά ξενοδοχεία παραδοσιακού χαρακτήρα. Αυτή την εποχή τα όμορφα χρώματα της φύσης και οι μυρωδιές των λουλουδιών θα κάνουν σίγουρα την εκδρομή σας αξέχαστη.

Την Κυριακή το πρωί, ετοιμαστείτε για τη μεγάλη βόλτα σας στη Μάνη. Ξεκινώντας από την Αρεόπολη πηγαίνετε στα σπήλαια του Διρού, τα οποία θα μπορέσετε να δείτε μόνο με βάρκα. Ευτυχώς αυτή την εποχή δεν υπάρχουν πολλοί τουρίστες, και δεν θα χρειαστεί να περιμένετε πολλή ώρα. Η επόμενή σας στάση ας είναι ο Γερολιμένας - 18 χιλιόμετρα από τα σπήλαια του Διρού - όπου μπορείτε να σταματήσετε και για μεσημεριανό. Σ' όλη τη διαδρομή μπορείτε να δείτε τους γνωστούς μανιάτικους πύργους. Μετά τον Γερολιμένα, αξίζει να πάτε και στο ακρωτήριο Ταίναρο, που είναι το νοτιότερο σημείο της Πελοποννήσου. Εκεί θα αισθανθείτε σαν να βρίσκεστε μέσα στη θάλασσα. Πολύ κοντά είναι και το γνωστό μανιάτικο χωριό Βάθεια, που σήμερα πια δεν έχει κατοίκους.

Γύρω στις πέντε θα πρέπει να πάρετε τον δρόμο της επιστροφής. Η κίνηση πιθανόν να είναι αρκετή, γι' αυτό, μάλλον θα χρειαστείτε τέσσερις περίπου ώρες μέχρι την Αθήνα.

Στον δρόμο μπορείτε να σταματήσετε στο Λουτράκι για έναν καφέ ή για ένα γλυκό.

Από μας, καλό σας ταξίδι και καλό σαββατοκύριακο.

Λύσεις

Λύσεις

1 Έβαλες θερμόμετρο;

1. 1γ   2α   3β   4α
2. 1. Σ   2. Λ   3. Λ   4. Σ   5. Σ
3. 1α   2β   3γ
4. 1δ   2γ   3ε   4α   5β
5. 1. Η Σοφία έχει μάθημα φιλοσοφίας αλλά δεν είναι σίγουρη αν θα πάει.
    2. Η Σοφία λέει να πιει ένα ζεστό τσάι.
    3. Η Σοφία μάλλον δεν έχει πυρετό αλλά πονάει όλο το σώμα της.
    4. Η Σοφία θα φύγει μετά από λίγη ώρα, αν δεν είναι καλύτερα.
6. 1. βλέπω   2. είναι   3. έχω   4. πω   5. είμαι   6. πάω   7. έγινε   8. άσε
    9. ξύπνησα   10. πήρα   11. πέρασε   12. έβαλες   13. δω   14. είσαι
    15. νομίζω   16. έχω   17. πονάει   18. πονάει   19. τρέχει   20. είμαι

2 Θα ήθελα να κάνω μια ανάληψη

Πρώτο Μέρος

1. 1α   2γ   3β   4α
2. 1. Λ   2. Λ   3. Σ   4. Λ   5. Σ   6. Λ
3. 1. ανάληψη   2. βιβλιάριό   3. ταυτότητά   4. λεπτό   5. κύριος   6. φωτογραφία
    7. πρόβλημα   8. χρήματα   9. γυαλιά   10. λογαριασμό   11. γιου   12. Θεσσαλο-
    νίκη   13. αριθμός   14. χρήματα   15. λογαριασμό   16. λεφτά   17. στιγμή
    18. λογαριασμό   19. μέρα

Δεύτερο Μέρος

4. 1γ   2α   3β
5. 1. Λ   2. Σ   3. Σ   4. Λ   5. Λ
6. 1β   2α   3β   4β

Τρίτο Μέρος

7. 1. Σ   2. Λ   3. Λ   4. Σ
8. Ο κύριος Αβραμίδης έχει λογαριασμό / κάνει ανάληψη / στέλνει λεφτά στον γιο του /
    δεν έχει μαζί του τα γυαλιά του
    Η κυρία θέλει να εξαργυρώσει μια επιταγή / έρχεται στην τράπεζα με την επιταγή
    που παίρνει από τη δουλειά της κάθε μήνα
    Ο Φιλίπ θέλει ν' αλλάξει δολάρια / ξεχνάει να πάρει το διαβατήριό του από τον ταμία

3 Και πόσο κοστίζει;

1. 1. Σ   2. Λ   3. Λ   4. Σ   5. Σ
2. 1γ   2α   3γ   4α   5β
3. 1. μοντέλο   2. οθόνη   3.17, 26 και 32   4. καλύτερη
4. τηλεόραση / SONY / 32 / Κώστας Νικολάου / Αρχιμήδους 90 / τρίτος /
    210 6929178 / (ημερομηνία) 5:00 με 7:00

5. 1γ   2α   3δ   4ε   5β
6. 1. πλυντήριο ρούχων   2. καφετιέρα   3. κουζίνα   4. τοστιέρα   5. στερεοφωνικό
   6. ψυγείο   7. σίδερο   8. φούρνος μικροκυμάτων
8. 1. σας   2. για   3. μια   4. συγκεκριμένο   5. Όχι   6. μια   7. μου   8. Εδώ
   9. μια   10. να   11. με   12. ένα   13. θα   14. σας   15. σας   16. πως
   17. εδώ   18. τής   19. σε   20. Μ'   21. να   22. που   23. θα   24. να
   25. γύρω   26. τότε   27. να   28. των   29. ευρώ

4 Σύντομες ειδήσεις των έξι

1. 1α   2β   3β   4γ   5β   6α   7γ
2. 1. Λ   2. Σ   3. Λ   4. Σ   5. Λ   6. Σ   7. Λ   8. Σ
3. 1γ   2ε   3α   4β   5στ   6δ
4. 1. Ελικόπτερα, πλοία, επιβάτες, μέλη   2. γενική, Πέμπτη   3. εξετάσεων, είσοδο
   4. πόλεις, χωριά   5. φαινόμενα, Ελλάδα
5. 1β   2α   3β
6. 1. κακοκαιρία   2. Βροχές   3. χιόνια   4. χαμηλές   5. θερμοκρασίες   6. Εθνική
   7. Μετεωρολογική   8. Υπηρεσία   9. φαινόμενα   10. παρακολούθησαν
   11. γιόρτασαν
8. 1. Ο πρωθυπουργός της Ελλάδας θα συναντήσει αύριο στο Μέγαρο Μαξίμου τον
   πρόεδρο της Γαλλίας.
   2. Μεγάλη επιτυχία είχε χτες η παράσταση ελληνικών δημοτικών χορών στην Ιαπωνία.
   3. Μεγάλα προβλήματα δημιούργησε η ξαφνική βροχή σήμερα το πρωί στους δρόμους
   της Πάτρας.
   4. Η ΑΕΚ έχασε χτες από το Περιστέρι με 90-84 στον τελικό κυπέλλου.

5 Θα βγούμε στις 8:30

1. 1β   2γ   3α   4β   5α
2. 1α   2γ   3β   4α
3. 1γ   2δ   3α   4β
4. 1. ...όλα αυτά τα γράμματα για τους πελάτες.
   2. ...για το φαγητό μετά την παράσταση.
   3. ...δεν έχω και πολλή τύχη με τις γυναίκες τον τελευταίο καιρό.
   4. ...καμιά φίλη της Έλλης, μπορεί ν' αλλάξει η τύχη σου.
5. 1. Λ   2. Σ   3. Λ   4. Σ   5. Σ   6. Λ
7. 1. δουλειά   2. γράμματα   3. πελάτες   4. μέρα   5. γραφείο   6. δουλειά
   7. άγχος   8. σπίτι   9. ραντεβού   10. θέατρο   11. ροκ όπερα   12. παράσταση
   13. εισιτήρια   14. γενέθλια   15. θέατρο   16. φαγητό   17. παράσταση
   18. γυναίκες   19. καιρό   20. φίλη   21. τύχη   22. εστιατόριο   23. τραπέζι

Λύσεις

6 Βόλτα στην Αθήνα

1. 1α   2β   3γ   4α
2. 1. Σ   2. Λ   3. Λ   4. Σ   5. Λ   6. Λ
3. 1γ   2δ   3α   4β   5ε
4. 1α   2β   3α   4β   5β   6α
7. 1. ελάτε   2. αφήσατε   3. ήρθατε   4. πει   5. ερχόμασταν   6. θέλουμε
   7. αλλάξεις   8. Έτσι   9. μπορούσα   10. Έχουμε   11. Ανησυχώ   12. ξέρετε
   13. φοβάμαι   14. είμαστε   15. ρωτήσουμε   16. ξεχνάς   17. έχουμε
   18. Τελειώνουμε   19. αρχίζετε   20. πείτε   21. θέλουμε   22. δούμε   23. έχετε
   24. Κοίτα   25. αρχίσουμε   26. βλέπουμε   27. είναι   28. είναι   29. πάτε
   30. βρείτε

7 Θα τηλεφωνήσουμε στον δήμαρχο

1. 1α   2γ   3α
2. 1. Σ   2. Σ   3. Λ   4. Λ
3. 1. κάθε μέρα   2. στο ραδιόφωνο   3. έναν άντρα   4. ένα πρόβλημα   5. πολιτική
4. 1δ   2α   3ε   4β   5γ
5. 1.   **Κ** Α Τ Ο Ι Κ Ο Υ Σ
   2.   **Α** Θ Η Ν Α
   3.   **Λ** Ε Ω Φ Ο Ρ Ο Σ
   4. Χ Ρ **Η** Σ Τ Ο Υ
   5.   **Μ** Ι Κ Ρ Ο Σ
   6. Ν **Ε** Φ Ο Σ
   7. Π **Ρ** Ω Ι
   8.   **Α** Υ Τ Ο Κ Ι Ν Η Τ Α

8 Φίλοι για πάντα

1. 1β   2α   3β   4γ   5γ   6β   7γ
2. 1. Λ   2. Σ   3. Λ   4. Λ   5. Σ
3. 1γ   2ε   3δ   4β   5α
4. 1. ...έτσι και σήμερα είμαστε κοντά σας.
   2. ...τον Μάιο του '93.
   3. ...έχει φέρει κοντά της πάρα πολλούς ανθρώπους.
   4. ...δίνοντας λίγο από το χρόνο του ή λίγα χρήματα.
   5. ...210 7078651.
   6. ...που δίνουν σε μάς και στην οικογένειά μας τα ζώα.
5. Οι φίλοι μας / Μάιος 1993 / 1.200 / φροντίδα των ζώων που δεν μένουν σε ένα σπίτι /
   Λουκιανού 209, Κολωνάκι / λεωφόρος Αγράμπελης, Σπάτα / 210 7015241 /
   210 7078651 / info@filozoiki.gr